Jordan Lee Harding

ХУДОЖЕСТВЕННЫЕ СОКРОВИЩА МОСКОВСКОГО КРЕМЛЯ

THE ART TREASURES OF THE MOSCOW

KREMLIN

PHOTOGRAPHS BY
WILLIAM MENDELEYEV

TEXT BY
AIDA NASIBOVA

DESIGNED BY
NENAD DOGAN

TRANSLATED BY
ARTHUR SHKAROVSKY-RAFFE

FOURTH EDITION

MOSCOW, PLANETA PUBLISHERS, JUPITER JOINT VENTURE, 1992
ZAGREB, AUGUST CESAREC PUBLISHERS

ХУДОЖЕСТВЕННЫЕ СОКРОВИЩА МОСКОВСКОГО КРЕМЛЯ

АВТОР СЪЕМКИ
ВИЛЬЯМ МЕНДЕЛЕЕВ

АВТОР ТЕКСТА
АИДА НАСИБОВА

ХУДОЖНИК
НЕНАД ДОГАН

ПЕРЕВОД С РУССКОГО
АРТУРА ШКАРОВСКОГО-РАФФЕ

ИЗДАНИЕ ЧЕТВЕРТОЕ

МОСКВА, ИЗДАТЕЛЬСТВО «ПЛАНЕТА», СП «ЮПИТЕР», 1992
ЗАГРЕБ, ИЗДАТЕЛЬСТВО «АУГУСТ ЦЕСАРЕЦ»

ВСТУПЛЕНИЕ

Среди множества шедевров мировой культуры Московский Кремль занимает особое место. Двадцать восемь гектаров его земли хранят память о многих событиях русской истории, начиная с первых славянских поселений XI–XII веков.

Здесь создавалось Московское княжество, зарождалась борьба за независимость от ига Золотой Орды, выковывалось национальное самосознание, формировалось и крепло единое независимое Русское государство.

Московский Кремль – это летопись девяти столетий, на каменных страницах которой каждая эпоха запечатлелась памятниками материальной и духовной культуры высокого исторического и художественного достоинства. И сегодня архитектура, произведения живописи, рукописные книги и десятки тысяч разнообразных предметов декоративно-прикладного искусства, рожденные гением народа, составляют содержание Государственных музеев Московского Кремля.

Эта сокровищница объединяет несколько очень разных по своему характеру музеев. Четыре из них представляют соборы – Успенский, Благовещенский, Архангельский и церковь Ризположения, еще один – музей прикладного искусства и быта XVII века – расположен в бывших Патриарших палатах, и, наконец, очень значительный по объему и содержанию музей – Оружейная палата. Здание ее построено в XIX веке специально для экспозиции произведений декоративно-прикладного искусства, собранных в Кремле за длительный период. Древние же соборы по своей архитектуре, монументальной и станковой живописи сами по себе представляют уникальные музеи древнерусского искусства.

Большой Кремлевский дворец и весь комплекс входящих в него древних построек не являются музеем в принятом смысле слова. Но по своим историческим и художественным достоинствам они также представляют музейную ценность, как, впрочем, почти все здания на территории Московского Кремля, включая и окружающие его древние стены и башни. Московский Кремль — центр политической, духовной и культурной жизни со времени образования Русского государства и до наших дней. Вскоре после Октябрь-

ской революции, в марте 1918 года, Советское правительство во главе с В. И. Лениным переехало из Петрограда в Москву, новую столицу Советской России.

Знаменательной вехой, с которой принято вести отсчет столетий Москвы, является 1147 год. Неторопливые русские летописи отметили этой датой встречу в небольшом поселении на высоком берегу Боровицкого (от слова „бор") холма двух союзников – князей Юрия Долгорукого и Святослава Ольговича. Приглянулось тогда это место на зеленом мысе, при слиянии двух рек Москвы и Неглинной, сыну могущественного киевского князя Владимира Мономаха князю ростово-суздальской земли Юрию Владимировичу Долгорукому. Расположенное в центре русских земель, на перекрестке больших дорог, оно обещало быть удобным в стратегическом и торговом отношении.

Через несколько лет после описанной в летописи встречи двух князей, в 1156 году, Юрий Долгорукий „заложил град Москву на устье Неглинной выше реки Яузы" – так начинается рассказ о земле московской.

Археологические раскопки на территории Кремля показали, однако, что Боровицкий холм был обитаем еще в XI веке. Жившие здесь славяне занимались гончарным, кузнечным, сапожным и ювелирным ремеслами. Найденные предметы вооружения, стеклянные изделия, поливная многоцветная посуда, остатки шелковых тканей свидетельствуют об интенсивных торговых связях древней Москвы как с другими русскими княжествами, так и со странами Востока и Европы. Эти находки составляют сегодня археологическую коллекцию музеев Кремля.

XIII–XIV века в истории Руси отмечены мрачным периодом длительного господства Золотой Орды. Каждый раз после опустошительных набегов врагов Кремль отстраивался заново. Археологические раскопки на территории Кремля обнаружили остатки каменных построек конца XIII века.

Памятники материальной и художественной культуры XII–XIII веков собираются теперь буквально по крохам, поэтому все то немногое, что сохранилось от того трудного периода жизни русского народа, особенно ценно. К числу таких памятников относится, например, икона святого Георгия. Образ прекрасного воина был воплощением народного идеала защитника и освободителя Отечества.

Шло время. Дипломатические и военные успехи московских князей способствовали росту авторитета Москвы. В начале XIII века она становится столицей пока еще небольшого Московского княжества. XIV столетие насыщено знаменательными событиями. В этот период в Кремль из Владимира переезжает митрополит Руси Петр (1325 год), и Москва таким образом приобретает значение духовного центра русских земель. Московский князь Иван Калита добивается титула великого князя Владимирского и становится во главе феодального союза князей центральных княжеств. Во времена Ивана Калиты в Кремле велись большие строительные работы. Строились монастыри и церкви, деревянный „златоверхий терем" великого князя, многочисленные монастырские подворья и боярские дома. Кремль представлял собой настоящий город, где центром была площадь, образованная окружающими ее каменными соборами. Это были небольшие, простые в плане постройки, отмеченные чертами русского национального зодчества, ставшие прообразами архитектурных сооружений XV столетия.

Частые набеги врагов вынуждали князей заботиться о безопасности населения Боровицкого холма. Известно, что в первой половине XIV века Кремль окружали дубовые стены. Они шли вдоль реки Неглинной и Москвы-реки, а с востока (со стороны Красной площади) город, кроме стены, прикрывал широкий ров, заполненный водой.

Первые каменные стены вокруг Кремля были возведены в эпоху

наиболее активной борьбы русского народа за независимость при Дмитрии Донском, во второй половине XIV века. Они были выложены из крупных блоков белого камня и усилены высокими выступающими башнями с проездными воротами. По углам, на стыках стен, высились глухие круглые башни.

В XV веке по мере усиления политического значения Московского княжества росла и обстраивалась его столица. При Иване III Кремль был обнесен кирпичными стенами с башнями, представляющими весьма совершенное для своего времени фортификационное сооружение. Для строительства их были приглашены опытные мастера из Италии. Именно тогда окончательно определилась современная территория Кремля.

Строительство последней четверти XV века – периода особенно важного в истории Руси, когда завершался процесс образования единого государства и формировалась русская народность, было самым крупным за все существование Кремля.

В нем ясно отразились объединительные тенденции, которыми были отмечены тогда вся русская история и культура.

Московский Кремль — резиденция великого князя «всея Руси» Ивана III — стал оплотом молодого сильного государства, сбросившего чужеземное иго и заявившего о себе как о могущественном соседе Западной Европы.

Успенский, Архангельский, Благовещенский соборы, церковь Ризположения, Грановитая палата и царские терема, колокольня Ивана Великого и звонница образовали уникальный архитектурный ансамбль, задуманный и осуществленный по единому замыслу. В этой грандиоз-

ной созидательной деятельности приняли участие мастера из многих центров Руси – Пскова, Новгорода, Ростова, Твери, Владимира и Суздаля, а также зодчие Италии, наиболее передовой в то время страны в отношении строительства и архитектуры.

Русское искусство уже тогда имело богатые традиции. Образцы архитектуры и иконописи XI–XIV веков, древние предания, песни, летописи и сказания – вот арсенал, из которого русские мастера черпали чувство меры, гармонию пропорций, понимание силуэта, выразительность форм, словом, все то, из чего складывался великолепный облик древних кремлевских построек.

Работая бок о бок с московскими и псковскими мастерами, итальянцы сумели постичь особенности национальных художественных традиций Руси. Возведенные ими здания органически вошли в плоть русского искусства, не нарушив его национальной сущности.

БОЛЬШОЙ КРЕМЛЕВСКИЙ ДВОРЕЦ

Большой Кремлевский дворец не является музеем в обычном смысле этого слова. Здесь проходят сессии высших органов государственной власти, правительственные приемы. Это место официальных встреч большого международного значения.

Здание дворца было построено группой московских архитекторов во главе с К. А. Тоном в 1838–1849 годах на месте древнего дворцового комплекса. Оно включило в себя постройки XV–XVII столетий – Грановитую и Золотую Царицыну палаты, Теремной дворец с дворцовыми церквами.

Грановитая палата – одна из древнейших построек на территории Кремля. Главный фасад ее выходит на Соборную площадь.

Палату построили в 1487–1491 годах итальянские архитекторы Пьетро Антонио Солари и Марко. Свое название она получила от декора главного восточного фасада, облицованного белым камнем, обтесанным на четыре грани. Кубический объем здания монументален и отличается благородной простотой. На втором этаже его расположен светлый парадный зал грандиозного для своего времени размера (площадь его 495 квадратных метров). В центре зала по традиции русских трапезных возвышается четырехгранный столп, вокруг которого располагались поставцы с драгоценной посудой.

В роскошной обстановке Грановитой палаты торжественно отмечались важнейшие события русской истории, проходили государственные совещания, устраивались пышные приемы иностранных послов, праздновались военные победы.

Впервые палата была расписана в XVI веке, однако древние фрески не сохранились. Существующие ныне росписи выполнены в конце XIX века художниками из села Палех, которые воссоздали сюжетную и композиционную схему первоначальной росписи по подробному описанию ее, сделанному в XVII веке.

Древнюю роспись Грановитой палаты современники называли „бытийным письмом“. Такого рода „письмо“ служило не только для услады взора: в притчах современники видели прежде всего назидание и поучение. Источниками тем и сюжетов для росписи служили Библия, Хронографы – популярная русская компилятивная энциклопедия по общей истории, составленная в разное время из разных источников, и некоторые летописные и литературные памятники XV–XVI веков.

Замысел росписей, их идейная направленность характерны для второй половины XVI века, когда потребность в идеологическом обосновании централизованной власти была очень актуальна. Все идеи, отраженные здесь, были связаны с реальными условиями общественно-политической жизни Руси. Выбор тематики росписи определялся целью возвысить значение Русского государства, поднять престиж его правителей. Поэтому так актуальны были темы, подтверждающие преемственность и законность царской власти.

Золотая Царицына палата была построена в первой половине XVI века. При царе Федоре Иоанновиче, в конце XVI века, она была великолепно отделана для царицы Ирины. Если смотреть на это сооружение со стороны Соборной площади, то ясно видно, что оно покоится на высоком арочном подклете. Верхнюю часть здания занимает ряд полукруглых глубоких оконных проемов, обрамленных белокаменными наличниками. А выше, поражая воображение сказочной красотой, стоят на стройных, расцвеченных голубой керамикой шейках-барабанах одиннадцать золотых главок, украшенных ажурными, как бы кружевными, крестами. Это купола Верхоспасского собора и церкви Распятия, поставленных над Золотой Царицыной палатой уже в XVII веке.

Палата служила, подобно Грановитой, парадным залом для русских цариц, а название свое „золотая“ она получила по щедрой позолоте стен, украшенных в конце XVII века фресками. Это, по-видимому, наиболее интересный памятник монументальной живописи XVI века в Кремле, выполненный иконописцами из Новгорода и Пскова. Тематика росписей прямо связана с назначением помещения. Здесь повествуется об истории Русского государства, о принятии царских регалий из Византии Владимиром Мономахом, о делах прославленных правительниц Византии – Елены, Ирины, Феодоры, легендарной грузинской царицы Тамары, русской княгини Ольги, представлены портреты русских князей. Стенопись интересна изображением бытовых подробностей.

В XVII–XVIII веках фрески Золотой Царицыной палаты были записаны. Об этом сообщает надпись, выполненная на своде, где 1797 годом помечено последнее „возобновление" древней живописи в честь коронации императора Павла I. Реставрационные работы, проведенные в наше время в этом чрезвычайно интересном памятнике русского средневековья, позволили восстановить подлинную древнюю роспись.

И Грановитая и Золотая Царицына палаты входили в жилой комплекс Теремного дворца. Он состоял из множества различных по назначению каменных и деревянных палат и хором с высокими островерхими шатрами, с теремками и церквами с золочеными главами, с внутренними дворами, открытыми террасами, наземными и висячими садами, с прудами и фонтанами. Это был сложный, функционально оправданный живописный ансамбль, в котором у каждого члена царской семьи был свой особый двор с каменными жилыми и деревянными хозяйственными постройками. Все сооружения соединялись между собой на разных уровнях от земли переходами, сенями, крытыми лестницами и открытыми площадками.

История строительства Теремного дворца связана с именем царя Михаила Федоровича. В 1635–1636 годах по его указу для наследников были возведены „зело причудные палаты", названные впоследствии Теремным дворцом. Поставленные на древнее основание предшествующего жилого комплекса три верхних яруса протянулись от Грановитой палаты до церкви Рождества Богородицы, стоявшей здесь еще со времен XIV столетия. Строила дворец группа русских мастеров, а златописцы расписали кровлю теремов разными красками, серебром и золотом. Хоромы ставились с отступом от наружных стен предшествующего здания, второй же и третий этажи повторили этот ступенчатый принцип, таким образом верхние этажи как бы вырастали из нижерасположенных, придавая зданию характерную для того времени ярусность силуэта. Ступенчатая архитектура этажей позволила окружить их широкими открытыми террасами-гульбищами.

Функционально помещения дворца также были решены традиционно. Подклеты предназначались для различных хозяйственных нужд, погребов и кладовых. Второй ярус занимали мастерские палаты, обслуживавшие царский двор. На третьем находились служебные помещения и „мыленка" (банька) с винтовой лестницей, расположенной под спальней царя. На четвертом этаже жил царь. Туда вели лестница и крыльцо, сплошь украшенные позолотой и росписью. Сегодня „золотое крыльцо" – ценнейший памятник архитектуры середины XVII века. При строительстве Большого Кремлевского дворца оно оказалось внутри здания. Горницы четвертого этажа теремов

почти все одинаковы по размерам. Их четыре, в три окна каждая, с пологими сомкнутыми сводами.

Пятый этаж – „златоверхий теремок", окруженный открытой террасой, был построен в 1637 году для царевичей Алексея и Ивана. С западной стороны к нему примыкает круглая „смотрильная" башенка, с которой открывается обширный вид на весь Кремль.

Архитектурный ансамбль Большого Кремлевского дворца включает шесть церквей: Верхоспасский собор, церкви Распятия, Воскресения Словущего, святой Екатерины, Рождества Богородицы и Воскрешения Лазаря. Церковь Воскрешения Лазаря – самая древняя. Построенная в XIV веке, она своими монументальными формами и пластической выразительностью представляет характерный пример белокаменной архитектуры великокняжеской Москвы.

Ярусная композиция дворца, разнообъемность его фасадов, красивые наружные крыльца и лестницы создавали образ живописного сказочного сооружения. И сегодня, несмотря на многие утраты и изменения, дворец сохраняет все особенности жилой архитектуры и быта далекого прошлого.

Планировка Большого Кремлевского дворца в XIX веке следует древнему принципу жилого строительства. Обращение к древнерусской традиции сказалось и в ступенчатой композиции здания, и в живописной асимметрии различных его частей, и в декоративном оформлении. Это органически связало издавна сложившийся ансамбль с новой постройкой.

Древние Грановитая и Золотая Царицына палаты, Теремной дворец с домовыми церквами заняли северную часть нового здания. Остальная его часть замкнула внутренний двор квадратом общей планировки с западной, южной и частично восточной стороны.

Главный фасад Большого Кремлевского дворца обращен на юг, к Москве-реке. Двухэтажный корпус его имеет три ряда окон – залы верхнего этажа двухсветные, то есть имеют два ряда окон. По всему периметру второго этажа дворца расположены Владимирский, Георгиевский, Екатерининский залы, посвященные русским дореволюционным орденам. Существовали залы в честь старинных русских орденов Андрея Первозванного и Александра Невского. В 1934 году они были объединены в один зал для заседаний.

В художественном убранстве каждого зала доминирует мотив того ордена, которому он посвящен, – изображения орденских знаков и звезд, а обивка мебели повторяет цвета орденских лент.

Все залы второго этажа вошли в Парадную половину дворца.

Самый большой зал во дворце – Георгиевский. Его длина – 61 метр, ширина – 20,5, высота – 17,5 метра. Окна его выходят на Соборную площадь. Белый зал перекрыт цилиндрическим сводом, пышно украшенным лепниной. Простенки-пилоны облицованы мраморными досками с названиями отличившихся воинских частей и именами георгиевских кавалеров. На торцовых стенах зала помещены барельефные изваяния Георгия Победоносца, поражающего дракона, работа скульптора П. К. Клодта. Вся тематика скульптурного декора посвящена победе русского оружия с XV по XIX век. Над карнизами 18 витых цинковых колонн с коринфски-

ми капителями, под сводами размещены статуи побед и аллегории царств и княжеств, входивших в состав Русского государства, автор их скульптор И. П. Витали. Мебель в зале обита шелком цвета георгиевской ленты. Паркетный пол, выложенный из разноцветного дерева более 20 сортов, напоминает огромный ковер. Шесть больших бронзовых золоченых люстр дополняют убранство зала.

Первый этаж занимают жилые комнаты. Это так называемая Собственная половина царских апартаментов. Она состоит из ряда бытовых парадных помещений: столовой, гостиной, кабинета, приемной и четырех переходных комнат. Все помещения обставлены специально изготовленной мебелью и предметами декоративно-прикладного искусства из бронзы, хрусталя, фарфора, цветных камней.

Комнаты Собственной половины в своем художественном решении не отличаются единством стиля, здесь античность соседствует с барокко, а строгий классицизм – с мотивами рококо.

В оформлении интерьеров Большого Кремлевского дворца принимали участие известные художники, скульпторы, архитекторы.

Для украшения залов были использованы белый и серый песчаник, гранит, мрамор, малахит и яшма. Инженерно-техническая сторона в строительстве дворца отмечена весьма прогрессивными для того времени решениями, такими, как введение металлических перекрытий и бетона, установка полых цинковых колонн, подвесного потолка в Георгиевском зале, замена печного отопления воздушным калориферным.

Большой Кремлевский дворец – это

архитектурный комплекс, соединивший в себе постройки четырех, не схожих между собой столетий. Тем не менее, все они отмечены благородной преемственностью традиций, выразительностью художественного осмысления образа и талантом воплощения в камне.

УСПЕНСКИЙ СОБОР

Главной постройкой Кремля стал кафедральный митрополичий Успенский собор, воздвигнутый итальянским архитектором Аристотелем Фиораванти в 1475–1479 годы.

Фиораванти, опытный архитектор и инженер, возводил собор на основе точных расчетов, „все в кружало да в правило", как свидетельствовали летописцы, отмечая неведомые до того на Руси методы строительства и технические приемы.

Архитектурный облик собора поражает сочетанием традиционности и оригинальности. Итальянский зодчий получил указание строить храм по образцу древнего Успенского собора во Владимире—типичного для Руси крестово-купольного сооружения— и совершил для ознакомления с характером русских построек путешествие во Владимир и северные города. Будучи воспитанным на образцах ренессансной архитектуры, Фиораванти переосмыслил и наполнил новым содержанием традиционную русскую схему. Новый Успенский собор впервые осознавался как первопрестольный храм единого централизованного Русского государства.

В монументальном кубическом объеме его, в строгой геометрической четкости пропорций ощущаются кристальная ясность и величие. Это впечатление не нарушается даже легкой асимметрией сдвинутых к востоку пяти глав, завершающих всю архитектурную композицию.

Собор поставлен на мощный цоколь. Стены его расчленены по вертикали на равновеликие плоскости - прясла и делятся пополам аркатурно-колончатым фризом. В арки этого фриза, ровно посередине

каждого прясла, вписаны узкие щелевидные окна. Южный и северный порталы, служившие парадными входами в храм со стороны Соборной площади, оформлены строгими полуциркульными арками. Роспись, украшающая часть стен фасадов собора, возникла позже, в XVII веке. Впечатление величия и грандиозности сооружения сохраняется и в интерьере. Фиораванти создал парадный палатообразный зал, в котором шесть круглых колонн поддерживают высокие и легкие паруса сводов. Расположение сводов на

одной высоте дает возможность охватить взглядом все пространство интерьера сразу. Помещение прекрасно освещается благодаря широким откосам окон.

Стены собора впервые были украшены фресками в 1481 году группой мастеров во главе с выдающимся русским художником Дионисием. Росписи эти сохранились лишь фрагментарно. Большую же часть стен занимает сегодня живопись XVII века и более поздняя. Крупные размеры и колорит ее композиций как нельзя лучше соответствуют парадному назначению собора.

Монументальная живопись в русских храмах всегда имела определенную идейную направленность. Сюжетный состав фресок Успенского собора складывается из двух тем: патриотической, прославляющей стойкость в борьбе за чистоту православия, что воспринималось тогда как подвиг во имя защиты Отечества, и темы исторической, связанной с историей самого Успенского собора.

Издревле Успенский собор был средоточием лучших произведений древнерусской живописи. Некоторые иконы выполнялись специально для него, другие приносили сюда, в главный храм государства, из разных городов Руси и других православных центров. Среди них высокопочитаемая Владимирская Богоматерь – шедевр византийского искусства конца XI – начала XII веков (хранится в Государственной Третьяковской галерее). Из Новгорода была привезена икона святого Георгия XII века. В середине XIV столетия, по-видимому, для Успенского собора были написаны иконы „Спас Ярое око" и „Троица".

В русской иконе поражает сочета-

БЛАГОВЕЩЕНСКИЙ СОБОР

ние отвлеченности замысла с большой эмоциональностью. Ей не свойственны суровая созерцательность византийских образов и преувеличенная экспрессия готики. Настроение спокойной сосредоточенности, открытые чистые лики святых, тонкие гибкие силуэты, сияющие краски – все это рождает чувство гармонии и красоты.

Существующий ныне в соборе иконостас относится к середине XVII века, иконы его писали художники из разных городов Руси. Известно, что этому иконостасу предшествовал более древний, не дошедший до нас.

Оформление интерьера Успенского собора отличалось особой нарядностью. В свете солнечных лучей, проникающих через высокие окна и барабаны куполов, сверкали красками многочисленные иконы и фрески. Блеск драгоценных камней, золота и серебра окладов, церковной утвари, богатых златотканых облачений, огни множества свечей придавали огромному залу необычайную торжественность и великолепие. Здесь проходили важнейшие государственные церемонии – венчание на царство, бракосочетание коронованных особ, избрание главы русской церкви. В соборе служили торжественные молебны перед началом военных походов и в честь одержанных побед. Здесь же совершались захоронения московских митрополитов и патриархов.

В старину в Успенском соборе была богатая ризница, где хранились разнообразная церковная утварь и роскошные облачения духовенства. Многие произведения прикладного искусства из этой ризницы являются ныне экспонатами Оружейной палаты.

Славилась и библиотека собора.

Стараниями великих князей и царей, митрополитов и патриархов для Успенского собора писали и иллюстрировали роскошные манускрипты.

В Успенском соборе вот уже более четырехсот лет стоит знаменитый „Мономахов трон“ – молельный шатер царя Ивана Грозного, выполненный из липы в 1551 году талантливыми резчиками по дереву. На боковых стенках его помещены барельефы, иллюстрирующие легенду о принесении на Русь царского венца („шапки Мономаха“) и барм, присланных византийским императором киевскому князю Владимиру. В юго-западном углу высится бронзовый шатер с изящной литой решеткой, предназначенный для хранения церковных реликвий. Он был отлит в 1624 году „старостой котельного цеха“ Дмитрием Сверчковым.

Свое значение главного храма Руси собор сохранял до начала XX века. После Октябрьской революции он, как и все другие соборы в Кремле, был превращен в музей.

За годы Советской власти в Успенском соборе были проведены большие реставрационные работы и архитектурно-археологические исследования. Истекшие шесть столетий существования собора внесли немало изменений в его облик. Задача заключалась в возвращении памятнику его первоначального вида.

Благовещенский собор – домовая церковь великих князей, был построен псковскими мастерами в 1484–1489 годах.

Архитектурный облик его складывался постепенно. Вначале это было трехглавое здание, окруженное с трех сторон галереями со сходами на Соборную площадь. Позднее, в XVI веке, значительные достройки и переделки усложнили его архитектуру. На сводах галерей были возведены четыре придела – маленькие одноглавые церкви, которыми царь Иван Грозный ознаменовал победу 1563 года над Полоцком. В то же время с западной стороны на кровле собора были поставлены еще две новые глухие, без окон, главы. Собор стал девятиглавым. Тогда же с южной стороны собора построили высокое крыльцо, ведущее на галерею с белокаменным порталом, пышной резьбой, окном и широким фризом над ним.

Живописный, разнообъемный облик собора, декоративно-художественное оформление, килевидные закомары, золото кровли и куполов сочетают в себе черты раннемосковской и псковской архитектуры. Многоглавый Благовещенский собор очень отличается от строгого и монументального Успенского собора, но не уступает ему в выразительности своей архитектуры.

Интерьер собора вполне соответствует его назначению царского фамильного храма. Небольшое, уютное помещение не производит, однако, впечатления тесноты, благодаря ступенчатым сводам, при этом конструкция несущих арок кажется легкой, а купола высокими и просторными.

В западной части собора устроен широкий балкон – хоры, где во

время богослужения находилась женская половина царской семьи. Большую роль в оформлении интерьера играет пол, выложенный красновато-коричневыми плитками агатовидной яшмы. Он был привезен сюда в XVI веке из Ростова Великого и с тех пор украшает собор. В 1508 году Благовещенский собор был расписан фресковой живописью группой художников во главе с сыном знаменитого художника Дионисия – Феодосием. За время существования собора фрески его не раз прописывались заново, так что к нашему времени первоначальная роспись оказалась скрытой под толстым слоем поздних наложений. Только реставрация, проведенная советскими специалистами, вновь открыла древнюю стенопись. Росписи располагаются в четыре яруса. Схема их характерна для большинства древнерусских храмов. В центральной главе написан „Спас Вседержитель“, ниже – ангелы, праотцы и пророки, в парусах – евангелисты. На сводах, у иконостаса и в алтаре изображены многочисленные евангельские притчи и чудеса Христа.

Интересны изображения на столпах. Здесь помещены святые, а также условные портреты великих русских князей и византийских императоров. Появление такого рода изображений конкретных исторических лиц в начале XVI века в росписи придворного храма имело большое политическое значение. В традиционную схему стенописи были включены идеи, связанные с государственными и идеологическими задачами начала XVI века. Такая социальная активность и стремление к решению общественно-политических проблем были характерны для периода расцвета древней

русской культуры.

Стенопись западной и северной галерей собора была выполнена в XVI веке, но неоднократно переписывалась в более поздние века. Среди ее древних композиций и фигур интересны изображения античных поэтов и мыслителей. Здесь Гомер в русском платье и венце, Вергилий в мантии и широкополой шляпе, Аристотель и другие. В руках у них развернутые свитки с изречениями, близкими по смыслу христианскому учению. Такого рода изображения как бы символизировали предысто-

рию христианства. В южной галерее собора росписи XIX века. Поистине жемчужиной древнерусского искусства является иконостас Благовещенского собора – старейший из сохранившихся многоярусных иконостасов. Он принадлежал предшествующему храму и был перенесен впоследствии во вновь отстроенное здание 1489 года. Летопись донесла до нас дату его создания – 1405 год, и имена художников, величайших мастеров русского средневековья – Феофана Грека, Андрея Рублева и Прохора с Городца. Это было время наивысшего расцвета русской иконописи.

Древнерусская живопись – явление исключительное в истории мирового искусства. Она глубоко национальна, у нее своя образная система, свой художественный язык и красочная гамма. Образы, созданные древнерусскими художниками, и сегодня поражают глубокой проникновенной человечностью и сдержанной силой величия. Иконе свойственны необыкновенно тонкое чувство цвета, лаконизм в передаче человеческой фигуры, чувство ритма в построении композиций, всегда ясных и выразительных.

Творчество Феофана Грека, византийского художника, отличается яркой индивидуальностью. Одиннадцать его святых в иконостасе Благовещенского собора составляют как бы единое целое. Это высокие торжественные фигуры, обращенные в молельном жесте к центральному образу – Спасителю. Они в состоянии спокойной сосредоточенности и суровой отрешенности от суетного мира.

Иной характер носит творчество Андрея Рублева – великого художника Древней Руси, философа и гуманиста. В его произведениях гар-

моническая уравновешенность композиций, светлый праздничный колорит с мягкими переходами от одной гаммы к другой, особая задушевность и поэтичность образов. Персонажи Андрея Рублева наделены глубокой философской задумчивостью и безграничной добротой. В иконах третьего мастера Прохора больше драматизма и беспокойства. Для передачи сильных эмоциональных сцен он пользуется контрастными приглушенными красочными сочетаниями.

Иконостас Благовещенского собора доминирует в декоративном убранстве интерьера, которое в древности дополняли серебряные и золоченые оклады, богатые люстры-паникадила, дорогая церковная утварь.

Одновременно с Благовещенским собором те же псковичи возвели рядом с Успенским собором в 1484–1485 годах маленькую церковь Ризположения, служившую митрополитам и патриархам домовым храмом. Как и все кремлевские соборы, она построена на месте более древней церкви того же названия.

Существует летописное свидетельство 1450 года, в котором говорится, что „Митрополит Иона заложил на ... государеве дворе палату каменну, в ней же церковь Положения Ризы святые Богородицы". Праздник Положения ризы был когда-то очень почитаем. Еще в V веке в Константинополь была привезена из Палестины риза Богоматери. В сопровождении пышной процессии ее положили на „вечное хранение" во Влахернский храм, в предместье Константинополя. Этот день вскоре стал отмечаться на всем православном Востоке. Риза почиталась реликвией, защищающей город от врагов.

К тысячелетнему юбилею этого праздника, в середине XV века, русский митрополит основал и посвятил ему свою домовую церковь. Во время большого пожара церковь

ЦЕРКОВЬ РИЗПОЛОЖЕНИЯ

эта сгорела, и в 1484 году началось строительство нового, существующего и ныне здания.

Церковь Ризположения типичный памятник раннемосковской архитектуры – четырехстолпный крестовокупольный храм, в основании которого лежит квадрат, разделенный четырьмя столпами на девять ячеек. На кровле позакомарного покрытия на восьмигранном основании установлен барабан главы со шлемовидным куполом. Барабан украшает декоративный поясок, такой же поясок с рельефным орнаментом из терракоты проходит и по середине стен, над ним прорезаны узкие окна.

Основной вход в церковь был с южной стороны, он оформлен в виде резного белокаменного портала, который выходит на открытую площадку с широкой лестницей. С северной стороны к церкви примыкает крытая галерея, которая до конца XVII века служила переходом из жилых теремов к Успенскому собору, а так как жилые постройки в то время, как правило, ставились на высокий каменный подклет-основание, то и церковь Ризположения подняли на такую же высоту.

Небольшое, устремленное ввысь одноглавое сооружение отличается изяществом пропорций, красотой силуэта, благородной сдержанностью декоративного убранства.

Когда впервые была расписана церковь Ризположения – неизвестно. Существующие ныне фрески относятся к 1643 году и выполнены московскими художниками. Темой росписи явились популярные на Руси апокрифические сказания о Богоматери и „Великий Акафист" – произведение византийской гимнографии VI – начала VII веков.

АРХАНГЕЛЬСКИЙ СОБОР

Роспись призвана была прославлять высшую церковную власть и ее союз с властью великих московских государей под покровительством небесных сил и прежде всего Богоматери, которой эта постройка посвящена. Небольшие размеры церкви Ризположения определили и характер композиций фресок. Они расположены по поясам в пять ярусов и опоясывают северную, западную и южную стены. Написанные в светлых гармонических тонах изображения вместе с иконами иконостаса создают целостный живописный ансамбль.

Иконостас выполнен в 1627 году. В создании его принимал участие один из лучших иконописцев того времени Назарий Истомин Савин. Искусство этого художника отличает мастерское владение кистью, каллиграфическая тонкость и виртуозность рисунка. В сдержанной цветовой гамме преобладают светло-розовые, коричневато-оливковые, темно-вишневые и бархатисто-зеленые тона. В искусстве XVII века усиливается стремление к внешнему эффекту, в ущерб психологической характеристике образов.

В годы Советской власти церковь Ризположения была реставрирована и приобрела первоначальный вид древней постройки.

В галерее церкви экспонируется деревянная скульптура. Произведений ее дошло до наших дней немного, частые пожары и опустошительные набеги врагов уничтожили большую часть их. Кроме того, православная церковь смотрела на деревянную скульптуру как на явление, идущее от языческого идолопоклонства, так что до XVIII века этот вид народного творчества не мог широко развиваться.

Тем интереснее познакомиться с теми немногими образцами, которые сохранились. В деревянной скульптуре особенно ярко проявились черты самобытного народного творчества.

Позднее других был воздвигнут Архангельский собор. Его строил итальянский архитектор Алевиз Новый в течение 1505–1508 годов. Общая композиция пятиглавого храма с шестью столбами, поддерживающими своды, с вертикальным членением стен, сохраняет, как и все предшествующие здания, выстроенные итальянскими мастерами, древнерусскую конструктивную схему. Однако во внешнем декоре Архангельского собора много элементов, характерных для итальянской дворцовой архитектуры XV века – пышные раковины в закомарах, щедро орнаментированные порталы, коринфские капители пилястр, розетки, круглые и венецианские окна. Все детали здания, особенно его порталы, украшены „лавровыми“ гирляндами. Богатая декоративная обработка фасадов выполнена в духе венецианской архитектуры эпохи Возрождения.

Собор построен из красного кирпича и первоначально не был побелен. В сочетании с белокаменными деталями украшения, красно-кирпичные плоскости стен создавали определенный эффект, придавая постройке особую красочность и нарядность.

С восточной стороны к собору примыкают два придела – „Святого Уара“ и „Иоанна Предтечи“, а с севера и запада были пристроены не сохранившиеся ныне открытые галереи.

У этого собора было несколько предшественников. Еще в XII веке на том же месте, на высокой бровке Боровицкого холма, стояла деревянная церковь, посвященная архангелу Михаилу. В XIV веке ее сменил белокаменный храм – самый большой из построенных в то время кремлевских соборов. В 1340

году в нем похоронили великого князя Ивана Калиту. С тех пор собор обрел значение государственного некрополя, здесь стали хоронить членов московского великокняжеского рода.

Назначение некрополя сохранилось и у собора 1508 года. Три с половиной столетия служил он усыпальницей великих и удельных русских князей и царей. Всего в соборе пятьдесят два захоронения. Все погребения помещены в земле под полом, а сверху поставлены белокаменные надгробия, украшенные тонкой орнаментальной резьбой и славянскими надписями. В 1913 году надгробия были покрыты медными остекленными футлярами с надписями имен погребенных и датами их смерти.

В южном предалтарии в приделе Иоанна Предтечи за иконостасом находится усыпальница Ивана Грозного и двух его сыновей. Первый русский царь еще при жизни задумал сделать себе гробницу в наиболее почетном месте собора. Однако первым сюда попал старший сын Грозного, наследник престола, ставший жертвой отцовского гнева. Три года спустя в усыпальнице был похоронен сам Иван IV Грозный, а вскоре и второй сын – царь Федор Иоаннович. В 1963 году все три гробницы были вскрыты в целях научного исследования захоронений.

В приделе-усыпальнице Грозного сохранились росписи, в сюжетах которых нашли выражение отзвуки ожесточенной борьбы царя с его политическими противниками.

Фрески центральной части собора, выполненные в 60-х годах XVI века, были повторены в середине XVII века. Они также имеют ряд особенностей. Подбор и размещение основных сюжетов в них теснейшим образом связаны с идеологией единодержавной власти, неуклонно проводимой Иваном IV. Они включают остродискуссионные темы социального звучания, утверждая незыблемость основ царского самодержавия и догм христианского вероучения.

Одной из ведущих тем в древнерусском искусстве была тема защиты Отечества. Батальные сцены в росписи собора проникнуты пафосом героической борьбы и победы. Это был отзвук на недавнюю победу Ивана Грозного над остатками Золотой Орды.

Интересной особенностью стенописи собора-некрополя являются так называемые условные портреты реальных исторических лиц, их более шестидесяти. Представленные в определенной последовательности, они олицетворяли собой целую эпоху в истории Русского государства. За изображенными здесь такими личностями, как Александр Невский, Иван Калита, Дмитрий Донской, Иван III – события огромного исторического значения: освободительная борьба, возвышение Москвы и объединение русских земель, свержение иноземного ига и создание русского централизованного государства. Расположенные вдоль стен надгробные изображения образуют торжественное шествие, направленное к главной части храма – алтарю. Князья и цари представлены в рост в роскошных одеждах из узорчатых тканей, украшенных драгоценными камнями и мехами, руки их, приподнятые в жесте мольбы, выражают просьбу о заступничестве и покровительстве. Весь род московских князей имеет нимб святости, хотя никто из них, за исключением Дмитрия Донского, не был причислен к святым. Так утверждалась идея „богоизбранности“ династии. Портреты в Архангельском соборе не имеют конкретных индивидуальных черт, и все же каждый образ отмечен особой характеристикой, проглядывающей в своеобразном силуэте фигуры, наклоне головы, повороте корпуса или жесте рук.

До нас дошел четырехъярусный иконостас XVII века (более древний не сохранился). Иконы трех его верхних ярусов написаны москов-

КОЛОКОЛЬНЯ ИВАНА ВЕЛИКОГО И ЗВОННИЦА

скими художниками во главе с До-
рофеем Ермолаевым Золотаревым
в 1681 году. Каноничные по сюже-
там, они выполнены в более реали-
стической манере и несут на себе
отпечаток нового времени. Фигуры
персонажей, благодаря светотеневой манере письма, обрели большую объемность, композиции по-
строены с учетом законов перспек-
тивы.

Древнейшим и самым замечатель-
ным произведением станковой живописи в иконостасе является икона
архангела Михаила со сценами дея-
ний. Она написана рукой большого
мастера в конце XIV – начале XV
веков. Предание утверждает, что
заказчицей иконы для Архангельского собора была вдова знаменитого князя Дмитрия Донского –
инокиня Ефросинья. Безвестный
мастер создал глубоко эмоциональ-
ный образ воина-героя, всегда гото-
вого к бою и подвигу. За шесть с
половиной веков икона сильно по-
страдала, древний рисунок во многих местах оказался утраченным.
Но и сегодня замечательное произведение древней живописи поражает современников блеском и соч-
ностью живописи, глубокой эмоциональностью и суровой одухотво-
ренностью образа.

На протяжении многих веков Архангельский собор был особенно
почитаемым храмом Кремля. У его
гробниц происходили обряды по-
клонения князей своим предкам.
Здесь в дни торжеств или бедствий
правители Московского государства получали символическое бла-
гословение своих прародителей.

Архитектурной доминантой Кремля стала колокольня Ивана Великого – величественная трехъяру-
сная златоглавая башня, строительство которой велось под руко-
водством архитектора Бона Фрязи-
на в 1505–1508 годах, одновременно с Архангельским собором.
Первоначально колокольня выгля-
дела иначе, она была ниже и, тем не
менее, уже тогда, в начале XVI
века, занимала в ансамбле Соборной площади доминирующее по-
ложение. Название столпа имеет
следующее происхождение: слово
„Иван“ от имени святого Ивана
Лествичника, которому посвящена
была находившаяся на первом этаже церковь, а „великий“ указывает
на необычайную высоту нового
сооружения. Полагают, что колокольня построена была под влия-
нием деревянных сторожевых вы-
шек и башен, нередко достигавших
в Древней Руси большой высоты. И
действительно, колокольня Ивана
Великого совмещала функции сиг-
нальной и сторожевой башни, с которой хорошо обозревались окрест-
ности столицы.

В толще стены первого яруса была
устроена внутренняя лестница, во
втором ярусе она переходит в вин-
товую, расположенную в центре
столпа. В третьем же ярусе по вну-
треннему периметру стены идет же-
лезная спиралевидная лестница, по-
дводящая к главе колокольни.

По простоте замысла, масштабу,
совершенству пропорций и лакони-
зму колокольня Ивана Великого –
одно из величайших произведений
мирового искусства.

Несмотря на постройку могучего
столпа, его колоколов для кремлевских соборов оказалось недостаточ-
но. Поэтому в 1532–1543 годах архитектор Петрок Малый возводит

рядом огромную соборную звонни-
цу с широкими пролетами для больших колоколов.

В давние времена колокола, разме-
щенные на этих постройках, звуча-
ли ладным перезвоном „во дни торжеств и бед народных“.

Вот как описывает работу звона-
рей очевидец: „Для звона упо-
требляются двадцать четыре чело-
века и даже более, они стоят на
площади внизу и, ухватившись за
небольшие веревки, привязанные к
двум длинным канатам, висящим по
обеим сторонам колокольни, звонят
таким образом все вместе, то с
одной стороны, то с другой стороны“. Всего на колокольне и звоннице висит двадцать один колокол –
это целая сокровищница литейного
искусства. Все они украшены тонко
исполненным барельефным орнаментом, клеймами и надписями. Самый большой колокол – Воскресен-
ский, весом 4 тысячи пудов, поме-
щен в центре звонницы, у него пре-
красный по тону и наполнению
звук.

В 1600 году по указанию царя Бориса Годунова колокольня была
надстроена и достигла 81 метра.
Долгое время это стройное ярусное
сооружение было самым высоким
зданием на Руси.

В 1624 году к звоннице было при-
строено еще одно здание под ша-
тровой крышей. Во втором и третьем этажах его размещалась па-
триаршая ризница. Колокольня и
звонница с пристройкой, несмотря
на разновременность сооружения,
соединились в живописную композицию, составляющую единое архи-
тектурное целое.

В 1812 году, при отступлении из
Москвы наполеоновской армии,
был отдан приказ взорвать памятник древнего зодчества. Мощный

взрыв потряс площадь. Рухнула звонница с примыкающей к ней пристройкой, сама же колокольня осталась незыблема, лишь слегка треснув у основания. Она оказалась необычайно прочной. И действительно, фундамент здания имеет глубину свыше 10 метров, толщина стен первого яруса составляет 5 метров. Вскоре после освобождения Москвы разрушенная звонница была восстановлена в своих прежних формах.

С завершением постройки колокольни Ивана Великого и звонницы закончилась многолетняя работа по перестройке центра Кремля. Новый Кремль знаменовал собой не только важнейший этап в развитии архитектуры Москвы – он явился образцом, на который ориентировалось дальнейшее русское зодчество XVI–XVII веков.

Сегодня внимание гостей на Ивановской площади, получившей свое название от колокольни Ивана Великого, привлекают два памятника литейного искусства: царь-пушка и царь-колокол, прозванные так за свои огромные размеры.

В XVI веке Московский Кремль был укреплен и мог дать отпор любому противнику. В это время было отлито немало различных орудий, и в их числе знаменитая царь-пушка. Она мало похожа на обычную пушку. Общая длина ее ствола составляет 5 метров 35 сантиметров, калибр у дульного среза 890 миллиметров, вес 2400 пудов (около 40 тонн). Ствол и лафет, на который поставлена пушка, украшены декоративным орнаментальным литьем, изображением скачущего всадника и надписями. Одна из них гласит: ,,Слита бысть сия пушка в преименитом царствующем граде Москве лета 7094 (1586)… Делал

пушку пушечный литец Ондрей Чохов“.

Русский пушечный и колокольный мастер Андрей Чохов был придворным литейщиком и отлил множество боевых пушек, отличавшихся колоссальными размерами, великолепной отделкой и превосходной работой. У подножия царь-пушки лежат четыре огромных полых ядра, вес каждого – 1 тонна.

Царь-колокол отлит в 1733–1735 годах мастерами Иваном и Михаилом Моториными. Колокол весит 201 тонну 924 килограмма, высота его – 6 метров 14 сантиметров, а диаметр – 6 метров 60 сантиметров. Равных ему нет во всем мире. История этого колокола связана, однако, с весьма драматическими событиями.

Отлитый гигант стоял еще в яме на железной решетке под деревянным перекрытием, когда 29 мая 1737 года случился в Москве страшный пожар, охвативший и многие кремлевские постройки. В яму стали падать горящие бревна, сильно раскалившие металл. Когда, спасая колокол от плавления, его залили водой, металл от резкого перепада температур треснул, и откололся кусок весом в 11,5 тонны. В таком виде пролежал колокол в яме сто с лишним лет. Подъем его на постамент был в ту пору весьма сложной задачей. Решил ее известный архитектор и инженер, строитель Исаакиевского собора в Петербурге Монферран. С тех пор это монументальное и высокохудожественное произведение литейного искусства украшает Кремль, являясь неотъемлемой частью его истории.

ПАТРИАРШИЙ ДВОРЕЦ И ЦЕРКОВЬ ДВЕНАДЦАТИ АПОСТОЛОВ

(МУЗЕЙ ПРИКЛАДНОГО ИСКУССТВА И БЫТА XVII ВЕКА)

Последним сооружением, занявшим свое место на Соборной площади, стал Патриарший дворец с церковью Двенадцати апостолов. По летописным сведениям, еще митрополит Петр в первой половине XIV века получил от великого князя Ивана Калиты для строительства своего двора место близ великокняжеского дворца. С утверждением в 1589 году на Руси патриаршества митрополичий двор перешел к патриархам.

Трехэтажное здание дворца построено в 1653–1655 годах для патриарха Никона. Оно состоит из множества палат и келий, связанных между собой внутренними переходами. Это характерная планировка древнерусской жилой постройки. По сложившейся традиции первый этаж использовался как служебное помещение, здесь помещались церковные приказы, кухня и печи воздушного отопления, во втором – располагались парадные покои и домовая церковь, третий – был отведен под личные покои патриарха.

Огромные земельные владения и денежные средства церкви и лично патриарха позволили ему строить дворец с размахом, не скупясь на его роскошное оформление. Для этого привлекались лучшие художественные силы страны. По красоте и благоустройству дом патриарха ненамного уступал царскому. Сохранились воспоминания очевидцев, один из них писал: „...здание поражает ум удивлением, так что быть может нет ему равного в царском дворце, ибо мастера нынешнего века, самые искусные, собранные отовсюду, строили его целых три года“.

Особенно впечатляет приемный зал дворца – Крестовая палата. 280 квадратных метров его площади были перекрыты, подобно шатру, сомкнутым сводом без единой опоры в центре. Всю нагрузку несли стены двухметровой толщины. Такое конструктивное решение было смелым новшеством в русском каменном зодчестве середины XVII века. Вот как описывает убранство Крестовой палаты один из путешественников, посетивший ее тогда: „Огромная палата поражает своей необыкновенной величиной, длиной и шириной, особенно удивителен обширный свод без подпор посередине. По окружности палаты сделаны ступени, и пол в ней наподобие бассейна, которому не хватает только воды. Она выстлана чудесными разноцветными изразцами. Огромные окна ее выходят на собор. В них вставлены оконницы из чудесной слюды, украшенной разными цветами“.

Крестовая палата в доме главы русской церкви имела такое же значение, как Грановитая палата у царя: в ней патриарх принимал царя и послов иностранных держав, здесь заседали церковные соборы.

В конце XVII века третий этаж дворца был надстроен, от него до наших дней сохранилась одна палата, прозванная петровской, так как в ней, по преданию, любил уединяться Петр I во время своего пребывания в Москве.

Примыкающая с восточной стороны к дворцу домовая церковь Двенадцати апостолов была выстроена также в XVII веке. Она относится к обычному на Руси типу четырехстолпного пятикупольного храма. Древний иконостас церкви не сохранился. Существующий сегодня перенесен сюда из соседнего монастыря. Он выполнен в конце XVII – начале XVIII веков из резного золоченого дерева в традициях московского барокко. Искусная орнаментальная резьба, покрывающая сплошным ковром все деревянные конструкции иконостаса, ставит его в один ряд с лучшими творениями русских мастеров в этой области творчества.

Почти все иконы церкви Двенадцати апостолов относятся к 1721 году. В них еще много условного, видно, что над художниками тяготеет еще старая схема иконописи. Но в пределах ее уже заметны попытки отразить новые веяния в искусстве – объемность в передаче фигур святых, написанных в светотеневой манере, реалистический пейзаж.

Дворец патриарха с церковью замкнул с северной стороны ансамбль Соборной площади и органически вписался в него. Построенный в традициях XVII века, он заимствовал элементы архитектурного декора у более древних кремлевских построек – Успенского и Архангельского соборов. И в этом сказалось свойственное русским зодчим острое чувство архитектурного ансамбля.

На протяжении XVIII–XIX веков Патриарший дворец неоднократно перестраивался, изменялся его внешний вид, планировка и убранство. К началу XX века он был в очень плохом состоянии.

Реставрационные работы начались

ГОСУДАРСТВЕННАЯ ОРУЖЕЙНАЯ ПАЛАТА

вскоре после Октябрьской революции. Кропотливо, метр за метром возвращали реставраторы древнему памятнику его первоначальный вид. Сегодня в залах дворца размещена экспозиция из предметов прикладного искусства и быта XVII века. Она частично воспроизводит обстановку патриаршего дома, помогает понять уклад жизни, оценить самобытность и яркость русской культуры того времени.

Основные коллекции декоративно-прикладного искусства из собрания Государственных музеев Московского Кремля экспонируются в залах Оружейной палаты – старейшего музея страны. Здесь сосредоточены шедевры русского, восточного, западноевропейского искусства, работы мастеров многих стран мира. Целые коллекции холодного, огнестрельного оружия, боевых доспехов, золотых и серебряных изделий XII–XVII веков, памятников прикладного искусства Византии, драгоценных тканей, древних государственных регалий, предметов парадного конского убранства, собрание древних рукописных книг, знамен, орденов, часов – все эти предметы так или иначе связаны с различными историческими событиями, лицами и, помимо чисто художественного значения, имеют большую историко-мемориальную ценность.

Сегодня они рассказывают о далеком прошлом России, о героической борьбе русского народа за независимость, о становлении молодого централизованного государства. Кроме того, по этим произведениям можно проследить историю развития русской художественной культуры, понять ее своеобразие и красоту.

Абсолютное большинство экспонатов в Оружейной палате создано русскими мастерами.

Производственные художественные мастерские существовали на Боровицком холме с древнейших времен. Работавшие в них талантливые мастера со всех концов земли русской создавали предметы обихода и парадного назначения для великокняжеского и митрополичьего дворов. Размещались мастерские в каменных палатах. Со временем изготовляемая в них продукция накапливалась. Таким образом мастерские становились одновременно и своеобразными кладовыми-хранилищами.

В XVI веке в Кремле было четыре таких мастерских: так называемый Казенный двор, Постельная (или Мастерская) палата, Конюшенная казна и Оружейная палата. Каждая изготовляла и хранила определенные виды предметов. Так продолжалось до 1727 года, когда после основания новой столицы многие мастера были переведены в Петербург. Кремлевские мастерские тогда были объединены в одно учреждение, получившее название по самой большой и важной из них – Оружейная палата. Она и стала прообразом ныне существующего музея.

В 1484–1485 годах для непомерно разросшейся великокняжеской казны между Архангельским и Благовещенским соборами было построено специальное здание, названное Казенным двором. Здесь хранились изделия русских мастеров, а также все золото и серебро, ввозимое из-за рубежа в Россию в качестве посольских даров или торговых приобретений. Об огромных размерах этой казны свидетельствует, например, летописный рассказ о том, что в 1572 году Иван IV Грозный, спасая свои сокровища от грозившего набегом на Москву крымского хана, отправил их в Новгород, нагрузив два обоза, состоявших из 450 саней. В хранилище Казенного двора стекались специально изготовленные и приобретенные изделия прикладного искусства и драгоценности. Они использовались для государева обихода, для подарков, для приема иностранных послов, в дни торжественных церемоний, царских выходов.

Особенно велико было собрание золотой и серебряной посуды. Самая древняя национальная форма ее – ковш-чаша, из которой пили обычно бражный мед, по форме напоминает старинную ладью. Русские мастера выковывали ковши из одного листа золота или серебра, мягко изгибая рукояти, украшая венцы ковшей резным орнаментом или жемчугом, с яркими драгоценными камнями. Русские ювелиры умели придавать этим изделиям, при всей кажущейся простоте, удивительное изящество и нарядность. Долгое время ковш был одной из самых почетных наград в Русском государстве. Другой широко распространенной сугубо национальной формой сосудов были шарообразные чаши – братины, из которых пили „заздравную чашу“, передавая ее за столом „от брата к брату“. В хранилище Казенного двора, а впоследствии в Оружейной палате накопилась большая коллекция таких братин, очень различных по материалу и технике исполнения. Серебряники, трудившиеся над их изготовлением, веками сохраняли форму без изменения, но зато в фантазии украшений этих сосудов не имели себе равных.

Множество сокровищ Казенного двора погибло и пропало в периоды бурных исторических событий. И все же то, что сохранилось сегодня в экспозиции и фондах Оружейной палаты, представляет собой крупнейшее в мире собрание русской золотой и серебряной посуды XII–XVII веков и западноевропейского серебра.

Еще со времен XV столетия существовал обычай подношения иностранными послами правителям ценных подарков. Отсутствие даров рассматривалось как „бесчестие государю и государству“. Послы почти всегда получали ответные подарки, причем стоимостью, превышающей стоимость сделанных подношений. Коллекция европейского художественного серебра в Оружейной палате – своеобразный архив отношений Москвы с западными странами на протяжении XV–XVII столетий. В середине XVI века возникло даже специальное учреждение – Посольский приказ, который ведал политическими связями с иностранными государствами и строго следил за соблюдением посольского обряда. Частью такого обряда были пышные приемы-обеды в Грановитой палате, когда в огромном зале вокруг центрального столпа устраивался поставец, на полки которого ставилось множество дорогой посуды: серебряные и золоченые чаши, разноцветные сердоликовые, яшмовые, янтарные чарки, украшенные яркой эмалью и драгоценными камнями ковши, чеканные кубки, заздравные братины и серебряные бочонки для хмельного питья. Наиболее диковинные из посольских подношений ставились на столы. Это были, к примеру, немецкие заводные часы в виде слона, сосуды в виде барсов и львов, ароматические курильницы, многоярусные рассольники, потешные кубки и другие изделия. „Мы видели множество превеликих золотых сосудов, каких в уме представить себе неможно... – вспоминает австрийский посол XVI века Конбенцель. – Посуды было столько, что ее с трудом могли бы вместить тридцать венских повозок“. Особенно многочисленны и разнообразны изделия немецких серебряников городов Нюрнберга, Аугсбурга, Гамбурга. Коллекция немецкого серебра в Оружейной палате насчитывает свыше тысячи предметов.

Английское серебро представлено менее широко, но зато оно необычайно ценно по составу и позволяет последовательно проследить путь развития этого ремесла на протяжении двух столетий.

Уникальным это собрание делает и то обстоятельство, что в мире, даже в самой Англии, сохранилось немного подобных изделий. Значительная часть их погибла во времена буржуазной революции и гражданской войны в Англии.

Прочные торговые и дипломатические связи Руси в XVII веке с Голландией, Данией, Швецией и Польшей обеспечивали приток серебряных изделий этих стран в хранилища Казенного двора. Не следует забывать также и то, что восточные страны, такие, как Турция и Персия, в своих давних традиционных связях с Россией способствовали созданию здесь великолепных коллекций произведений искусства.

Особую гордость Оружейной палаты составляют первоклассные изделия византийских мастеров X–XV веков – свидетельства давних политических и культурных связей Древней Руси с некогда могущественной восточной империей. Русские правители гордились этими связями и считали себя, как уже отмечалось, преемниками власти от византийских императоров. Эта идея породила и легенду о золотой шапке Мономаха, которой венчались на царство почти все русские цари до Петра I. Шапка Мономаха, присланная якобы в дар киевскому князю Владимиру византийским императором Константином Мономахом, хранилась постоянно в царской казне. Это уникальное произведение византийского ювелирного искусства XIII–XIV веков – один из наиболее известных экспонатов Оружейной палаты.

Золотые венцы, скипетры, державы и другие знаки государственной власти отличаются необычайной роскошью и великолепием (в одном только венце Петра I более 800 алмазов). С течением времени они становились фамильными реликвиями, которые бережно хранились и передавались из поколения в поколение.

В кладовых Казенного двора хранились и царские троны. Самый дорогой трон „алмазный" принадлежал отцу Петра I Алексею Михайловичу. Он был выполнен придворными ювелирами иранского шаха в 1659 году и подарен русскому царю армянскими купцами, заинтересованными в получении различных льгот для торговли с Русским государством.

В 1682 году серебряных дел мастерами был создан единственный в мире двойной трон для юных царей-братьев Ивана и Петра (будущего императора), объявленных одно время царями-соправителями.

В начале XVI века в Кремле возникло другое хранилище – Конюшенная казна, которая ведала царской конюшней. В ней, помимо хранилища дорогостоящего парадного конского убранства, пышно оформлявшего торжественные выезды и посольские встречи, существовали мастерские по изготовлению такого рода снаряжения.

Царские выезды занимали важное место в церемониях двора XVI–XVII веков. Появление высокой персоны перед народом должно было демонстрировать его исключительность, могущество и богатство. Вот как описывает, например, выезд Бориса Годунова в 1602 году один из его участников: „„Поезд открывался 600 конными людьми по три в ряд . . . затем следовали 25 заводных лошадей под дорогими покрывалами. Лошадей вели столько же богато одетых конюхов. Затем везли пустую золоченую карету . . . Наконец, явился и великий князь. Его везли на белых лошадях. Карета его была обшита бархатом и верх ее опирался на четыре подпоры, украшенные серебряными шарами. На полчаса езды следовала царица в великолепном, просторном, везомом десятью белыми лошадьми дорожном экипаже, перед каретою вели 40 богато украшенных заводных лошадей весьма богато одетые конюхи. Затем в плотно закрытой карете ехала царевна Ксения. Карета была запряжена восемью красивыми лошадьми. Сопровождавшая царицу свита ехала верхом на белых лошадях. Процессию замыкали 500 всадников".

Собрание предметов парадного конского убранства XVI–XVII веков по своей полноте и художественным достоинствам единственное в мире. Седла, драгоценная сбруя, расшитые попоны и другие предметы украшения коней составляют лишь часть несметных сокровищ, которые некогда хранились в Конюшенной казне. Многие из них были привезены в Россию из Ирана, Турции, Китая, Крыма, Бухары.

Однако выработкой конских уборов славились издавна и русские мастера. Изделия их, украшенные чеканкой, гравировкой, чернью, эмалью по золоту и серебру, поражают богатой фантазией, разнообразием орнамента, техническим мастерством.

Самое древнее седло русской работы в Оружейной палате с вышитым серебром по вишневому бархату, которым оно обито, личным гербом Ивана IV Грозного относится к середине XVI века. На украшение конского убранства шли, как правило, очень дорогие материалы: золото, серебро, сверкающие драгоценные камни. Английский посол Иеремий Горсей, описывая церемонию венчания на царство Федора Иоанновича, оценивал убранство царского коня в 300 тысяч фунтов стерлингов.

В отделе Конюшенной казны музея Оружейной палаты, в одном из самых больших залов, хранятся интереснейшие экипажи русской и иностранной работы XVI–XVIII веков. Каждый из них представляет собой замечательное произведение прикладного искусства. Кузова их украшены живописью, золоченой лепниной, резьбой по дереву, тисненой кожей.

Особенно много в коллекции карет XVIII века. Устройство их много совершеннее более ранних экипажей. У них есть поворотный круг, рессоры, место для кучера, окна закрыты стеклами.

Кроме Казенного двора и Конюшенной казны, богатства московских правителей собирались и в так называемой Постельной палате. Сюда поступали посольские дары, ценные подношения, изделия придворных ювелиров, отобранные для государева обихода. К концу XVI века Постельную палату преобразовали в Мастерскую палату, в которой не только хранили, но и изготовляли вещи для каждодневных нужд двора. Среди них различные одежды, постельные принадлежности, а также особо почитаемые иконы. Их было много, известно, например, что только царю Алексею Михайловичу за годы его царствования (1645–1676) поднесли восемь тысяч двести различных икон. В XVII веке иконы из Постельной казны были переданы на хранение в специально созданную Образную палату.

Одежды, хранящиеся ныне в Оружейной палате, являются ценностью мирового значения. Материалом для них служили дорогие сукна, привозные – иранские, турецкие и итальянские – шелковые, парчовые и бархатные ткани. Русские вышивальщицы украшали одежду из таких тканей мехом, золотым и серебряным кружевом, тесьмой, драгоценными камнями и жемчугом. Вышивание было одним из самых излюбленных занятий на Руси. Русские женщины исстари славились этим искусством. Существовали специальные мастерские, где работало множество одаренных вышивальщиц.

Особенно широко применялся в шитье жемчуг. Его привозили из Персии и Индии, а с XV века стали добывать отечественный жемчуг. Одежда, украшенная сложным узором, вышитым жемчугом, приобретала пышный и нарядный вид. Умело подбирая мелкий и крупный жемчуг, искусно сочетая его с драгоценными камнями, русские мастерицы достигали поразительного эффекта.

Самые старинные, сшитые из византийских тканей одежды относятся к XIV–XV векам. Они принадлежали, как правило, известным историческим лицам. Особой роскошью отличается саккос патриарха Никона. Он сшит из тяжелого аксамита (золотой парчи) с узором крупных цветов и корон. На вороте, рукавах, подоле и боках его прекрасное шитье жемчугом и самоцветами.

Из всех существовавших при государевом дворе мастерских-хранилищ самой большой и древней (первое летописное упоминание о ней относится к 1547 году) была Оружейная палата. Здесь изготовляли холодное и огнестрельное оружие, доспехи для русских воинов. В мастерских палаты работали оружейники из различных городов Руси, нанимались сюда и иностранцы. Изделия мастеров Оружейной палаты были образцами, на которые ориентировались все русские мастера. Парадное оружие украшали резьбой, золотой и серебряной насечкой, инкрустацией слоновой костью и перламутром. Наивысший расцвет производственной деятельности палаты относится к середине XVII века. В это время она стала крупнейшим поставщиком оружия и оборонительных доспехов.

Особое внимание в мастерских уделяли производству огнестрельного оружия. Например, с 1647 по 1653 год из Оружейной палаты в войска выдали 10 172 мушкета с фитильными и 21 292 с кремневыми замками. К середине XVII века увеличивается производство охотничьего и парадного оружия с богатой художественной отделкой, присущей русскому стилю орнаментации: плавные завитки растений с гротеско-

выми полуфигурами и геральдическими изображениями.

Плодотворная деятельность палаты продолжалась до начала XVIII века, когда столица была перенесена в Петербург. Оружейная палата становится просто хранилищем собранных здесь художественных ценностей и исторических реликвий.

В начале XIX века по инициативе ученых она была преобразована в музей, доступный, однако, для посещения далеко не всем. В 1851 году по проекту архитектора К. А. Тона сооружается новое большое здание у Боровицких ворот, специально для экспонирования многовековых национальных сокровищ России. В этом здании палата размещается по сегодняшний день.

После Октябрьской революции из придворного музея-кладовой она превратилась в государственный музей, стала достоянием всего народа. Коллекция палаты пополнилась новыми произведениями искусства, поступившими из национализированного дворцового имущества, частных собраний, многочисленных соборов, монастырей и Патриаршей ризницы.

Сегодня Государственную Оружейную палату ежедневно посещают тысячи советских и иностранных граждан. Экспонаты ее участвуют на выставках во многих странах мира – Англии, ГДР, Голландии, Дании, Канаде, Швеции, Франции, Японии, США.

В музее ведется большая научно-исследовательская работа.

* * *

Наверное, сегодня найдется немного на земле людей, которые не слышали бы о Московском

Кремле. Свидетель многих событий русской истории, он сохранил значение административно-правительственного и культурного центра страны.

Декреты о сохранении и реставрации памятников Кремля были в числе первых документов, подписанных В. И. Лениным.

Уже в мае 1918 года, через восемь месяцев после свершения революции, в Кремле начала свою работу Всероссийская комиссия по реставрации памятников искусства.

За годы Советской власти практически все кремлевские памятники, в том числе стены и башни, прошли тщательную реставрацию, неоднократно ремонтировались и укреплялись. В 1935 году на пяти главных башнях Кремля: Спасской, Никольской, Троицкой, Боровицкой и Водовзводной были установлены звезды из уральских самоцветов, а в 1937 году их заменили звездами новой конструкции диаметром от 3 до 3,75 метра и весом до 1,5 тонны каждая. Звезды изготовлены из трехслойного рубиново-красного стекла. Полые, они освещаются лампами мощностью от 3750 до 5000 ватт. Поступающий в них по полому стержню воздух спасает стекла от перегрева. Каркас звезд из нержавеющей стали покрыт позолотой.

В советский период значительно пополнилось собрание Оружейной палаты, причем некоторые ее коллекции сформировались почти целиком заново, как, например, собрание русского серебра XVIII–XIX веков или археологическая коллекция.

Были очищены от поздних записей и вновь увидели свет многие шедевры древнерусской живописи. При этом было сделано немало удивительельных открытий, обогативших наше представление о творчестве малоизвестных мастеров.

Тщательную реставрацию прошли сотни произведений прикладного искусства.

На строго научной основе были проведены ремонтно-реставрационные работы всех памятников архитектуры на Соборной площади, в Большом Кремлевском и Теремном дворцах, в Оружейной палате.

И сегодня Кремль, как в давние времена, необычайно красив и величествен. Неповторим и самобытен его силуэт, сверкающие золотом купола, сказочно прекрасны несметные сокровища его музеев. И все же, как бы мы ни старались рассказать о Московском Кремле, наши слова не передадут и доли того впечатления, какое остается при его посещении.

„Нет, ни Кремля, ни его зубчатых стен, ни его темных переходов, ни пышных дворцов его описать невозможно... Надо видеть, видеть... надо чувствовать все, что они говорят сердцу и воображению ...“ – так писал в прошлом веке о Кремле великий русский поэт М. Ю. Лермонтов. И вслед за ним мы приглашаем дорогих гостей посетить древний и вечно юный Кремль Москвы.

**БОЛЬШОЙ
КРЕМЛЕВСКИЙ
ДВОРЕЦ**

**THE GREAT
KREMLIN
PALACE**

Паркет Георгиевского зала
Фрагмент

Parquet in the Hall of St. George

Георгиевский зал дворца

The Hall of St. George

Бронзовые люстры Георгиевского
зала

*Bronze chandeliers in the Hall of
St. George*

Ниша с названиями русских воинских частей,
награжденных орденом св. Георгия

*Niche with plaques inscribed with the names
of the old Russian regiments decorated
with the Order of St. George*

Каминные часы „Козьма Минин и Дмитрий
Пожарский" в Георгиевском зале

The Minin and Pozharsky *mantel*
clock in the Hall of St. George

Каминные часы „Георгий Победоносец"

The St. George *mantel clock*

Бронзовый позолоченный ларец

Bronze gilt casket

Владимирский зал

The Hall of St. Vladimir

Люстра и лепной декор свода
Владимирского зала

*Chandelier and ceiling moulding in
the Hall of St. Vladimir*

Купол Владимирского зала

Dome in the Hall of St. Vladimir

Камин с часами и подсвечниками

Mantelpiece with a clock and candlesticks

Кавалергардская на Парадной половине

The Household Cavalry Room in the state apartments

Екатерининский зал

The Hall of St. Catherine

Анфилада комнат

Suite of rooms

Каминные часы и подсвечники

Mantel clock and candelabra

Хрустальные канделябры в
Екатерининском зале

*Cut-glass candelabra in the Hall of
St. Catherine*

Деталь декора двери

Detail of the door

Двери с изображением орденского медальона, звезд и лент в Екатерининском зале

Doors embellished with representations of the medallion, stars and ribbons of the Order of St. Catherine in the Hall of St. Catherine

Парадная гостиная

The Grand Drawing Room

Фарфоровые торшеры

Porcelain standard lamp

Парадная гостиная.
Часть интерьера

The Grand Drawing Room

Фарфоровая ваза

Porcelain vase

Выход из Парадной гостиной

To the state bedchamber

Часть интерьера. Камин с часами и подсвечниками

Mantelpiece with a clock and candlesticks

Парадная опочивальня

State bedchamber

Проходная комната между кабинетом
императрицы и будуаром

_Connecting room between the
Empress's study and the boudoir_

Анфилада комнат Собственной
половины

*Suite of rooms in the private
apartments*

Расписной свод и фарфоровая
люстра

*Hand-painted ceiling and a porcelain
chandelier*

Гостиная. Часть интерьера

Drawing Room

62

Бронзовый подсвечник

Bronze candelabrum

Малахитовый камин в будуаре

Malachite mantelpiece in the boudoir

Камин в опочивальне

Mantelpiece in the bedchamber

Каминные часы

Mantel clock

Приемная императора. Часть
интерьера

The Emperor's reception room

Флорентийская мозаика на
столешнице

Florentine mosaic of tabletop

Деталь архитектуры

Window surrounds

Грановитая палата. 1487–1491 годы.
Архитекторы Пьетро Антонио Солари и Марко

*The Palace of Facets. Built by Marco
and Pietro Antonio Solari. 1487–91*

Вход в Святые сени

Entrance to the Sacred Vestibule

Святые сени

Sacred Vestibule

Вход в Грановитую палату

Entrance to the Palace of Facets

Интерьер Грановитой палаты

The Palace of Facets

Столп в Грановитой палате

Central pillar

Грановитая палата. Часть интерьера

The Palace of Facets

Роспись свода Грановитой палаты. XIX век

Hand-painted ceiling. 19th century

Роспись части стены. XIX век

*Close-up of the wall painting.
19th century*

Золотая Царицына палата.
XVI век

The Tsarina's Golden Chamber.
16th century

Росписи в Золотой Царицыной
палате. XVI–XVII век

*Murals in the Tsarina's Golden
Chamber. 16th–17th centuries*

Деталь архитектуры

Detail of the architecture

Теремной дворец. 1635–1636 годы

The Terem Palace. 1635–36

Золотое крыльцо в Теремном
дворце

*The Golden Porch in the Terem
Palace*

Лестница и сторожевые львы.
Интерьер

Staircase with lions gardant

Золотая решетка перед Золотым
крыльцом

*Gilt railing in front of the Golden
Porch*

Передняя комната или проходные
сени. Часть интерьера

Antechamber

Крестовая или Соборная комната

Krestovaya or Council Chamber

Окно в кабинете

Window in the study

Кабинет царя

The tsar's study

Царская опочивальня. Часть
интерьера

The tsar's bedroom

Молельня. Часть интерьера

Chapel

Бронзовое паникадило из церкви
Рождества

*Bronze chandelier from the Church
of the Nativity*

Иконостас церкви Воскресения
Словущего. XVII–XVIII века

*Iconostasis in the Church of the Finding
of the True Cross. 17th–18th centuries*

Кипарисовое распятие из церкви
Распятия. XVII век

*Cypress crucifix from the Church of
the Crucifixion. 17th century*

Деталь деревянного резного иконостаса церкви
Воскресения Словущего

Detail of the carved wooden iconostasis
in the Church of the Finding of the True Cross

УСПЕНСКИЙ СОБОР

THE CATHEDRAL OF THE DORMITION

Интерьер Успенского собора

The Cathedral of the Dormition.
Interior

Рака патриарха

Patriarchal burial vault

„Сорок севастийских мучеников".
Фреска. 1481 год. Фрагмент

Detail of The Forty Martyrs of
Sebastea *fresco. 1481*

Молельное место цариц в соборе

Pew of the tsarinas in the cathedral

„Семь спящих юношей эфесских".
Фреска. 1481 год. Фрагмент

Detail of The Seven Sleepers of
Ephesus *fresco. 1481*

Преподобные. Фреска алтарной
преграды. 1481 год

The Holy Men *fresco of the altar
screen. 1481*

Икона „Спас оплечный". XIV век

Our Saviour *icon (Shoulder Image)*.
14th century

Икона „Владимирская
Богоматерь". XIV–XV век

The Holy Virgin of Vladimir *icon.*
14th or 15th century

Икона „Сергий Радонежский в
житии". XV–XVI век

The St. Sergius of Radonezh *hagiographic icon.*
15th–16th centuries

Икона „Спас Нерукотворный".
XIV–XV век

The Vera icon (the True Image).
14th–15th centuries

Художник Дионисий. Икона „Митрополит Петр в житии". XV–XVI век

The Metropolitan Pyotr *hagiographic icon by Dionisy. 15th–16th centuries*

Клеймо иконы

Border scene of the icon

Икона „Апокалипсис". Около
1500 года

The Apocalypse *icon. Circa 1500*

Фрагмент иконы

Detail of the icon

Деталь резьбы „Мономахова
трона“

*Detail of the carving on the Throne
of Monomachus*

„Мономахов трон“. Молельное
место Ивана Грозного. 1551 год

*The Throne of Monomachus (Pew of
Ivan the Terrible). 1551*

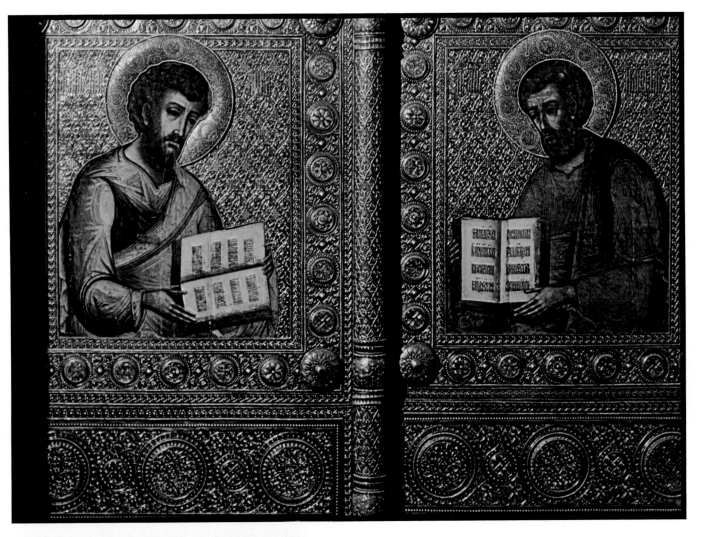

Деталь Царских врат.
„Евангелисты“

The Evangelists. *Detail of the Royal Doors*

Царские врата иконостаса
Успенского собора. XIX век

*Royal Doors of the iconostasis in the
Dormition Cathedral. 19th century*

БЛАГОВЕЩЕНСКИЙ СОБОР

THE CATHEDRAL OF THE ANNUNCIATION

Портал западной галереи
Благовещенского собора. XVI век

Portal of the western gallery of the Annunciation
Cathedral. 16th century

Иконостас. 1405 год

Iconostasis. 1405

126

Западная галерея
Благовещенского собора

*Western gallery of the Annunciation
Cathedral*

„Вергилий". Фреска. XVI век

The Virgil fresco. 16th century

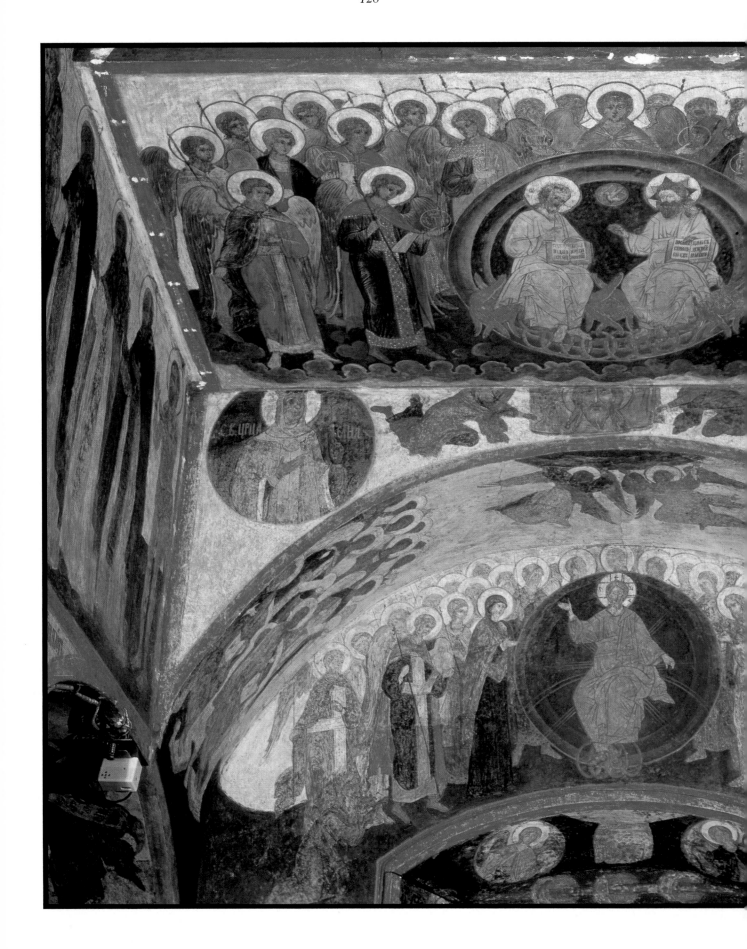

Роспись сводов и центрального
купола. 1508 год

Murals on the ceiling and central
dome. 1508

Художник Феодосий „с братией".
Роспись интерьера. 1508 год

Murals by Feodosy and colleagues.
1508

„Георгий Победоносец и Дмитрий
Солунский". Фреска. 1508 год

The St. George and St. Demetrius of
Salonika fresco. 1508

„Великий князь Александр Невский и московский
князь Иван Калита". Фреска. 1508 год

The Grand Prince Alexander Nevsky and Prince
Ivan Kalita *fresco. 1508*

Художник Феофан Грек. Икона „Богоматерь"
из иконостаса. 1405 год. Фрагмент

Detail of The Holy Virgin *icon from the iconostasis.*
Painted by Theophanes the Greek. *1405*

Художник Феофан Грек. Икона „Иоанн
Предтеча" из иконостаса. 1405 год. Фрагмент

Detail of the St. John the Baptist *icon from the*
iconostasis. Painted by Theophanes the Greek. 1405

Художник Феофан Грек. Икона „Василий
Великий" из иконостаса. 1405 год. Фрагмент

Detail of the St. Basil the Great *icon from the
iconostasis. Painted by Theophanes the Greek. 1405*

Художник Андрей Рублев. Икона
„Рождество Христово". 1405 год

The Nativity *icon from the iconostasis.*
Painted by Andrei Rublev. 1405

ЦЕРКОВЬ
РИЗПОЛОЖЕНИЯ

THE CHURCH
OF THE DEPOSITION
OF THE HOLY
ROBE

Интерьер церкви Ризположения.
Иконостас. 1627 год

Iconostasis in the Church of the
Deposition of the Holy Robe. 1627

Царские врата. Деталь иконостаса

The Royal Doors of the iconostasis

Фреска „Рождество Христово“.
XVII век

The Nativity *fresco. 17th century*

Фреска „Приезд волхвов“
XVII век

The Coming of the Magi *fresco.*
17th century

„Дмитрий Солунский". Деревянная
скульптура. XVII век

The St. Demetrius of Salonika
wooden effigy. 17th century

„Митрополит Филипп". Горельеф.
XVII век

The Metropolitan Filip *high relief.*
17th century

АРХАНГЕЛЬСКИЙ СОБОР

THE CATHEDRAL OF THE ARCHANGEL

Интерьер Архангельского собора

*The Cathedral of the Archangel.
Interior*

Интерьер собора

The Cathedral of the Archangel.
Interior

Надгробья у южной стены

Sarcophagi by the south wall

Великие князья Дмитрий Донской и Александр
Невский. Фрески. XVII век

*Frescoes of the Grand Princes Dmitry Donskoi
and Alexander Nevsky. 17th century*

Деталь резьбы иконостаса

Detail of the carving of the
iconostasis

Царские врата иконостаса

The Royal Doors of the iconostasis

Решетка гробницы царевича Дмитрия.
Чугунное литье. XVII век. Деталь

*Detail of the wrought-iron railing around the tomb
of Tsarevich Dmitry. 17th century*

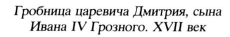

Гробница царевича Дмитрия, сына
Ивана IV Грозного. XVII век

*Tomb of Tsarevich Dmitry, son of
Ivan the Terrible. 17th century*

Алтарная часть собора

Sanctuary of the cathedral

Икона „Архангел Михаил".
XIV–XV век

The Archangel Michael *icon. 14th or*
15th century

„Борьба Иакова с ангелом“.
Клеймо иконы

Jacob Wrestling with the Angel.
Border scene of the icon

КОЛОКОЛЬНЯ
ИВАНА ВЕЛИКОГО
И ЗВОННИЦА
THE BELL-TOWER
OF IVAN THE GREAT
AND THE BELFRY

Глава колокольни

Dome of the bell-tower

Глава звонницы

Dome of the belfry

Деталь

Detail of the Tsar Cannon

Мастер Андрей Чохов.
Царь-пушка. 1586 год

*The Tsar Cannon. Cast by Andrei
Chokhov. 1586*

Мастера отец и сын Моторины.
Царь-колокол. 1735 год

The Tsar Bell. Cast by the Motorins,
father and son. 1735

Деталь

Detail of the Tsar Bell

ПАТРИАРШИЙ ДВОРЕЦ И ЦЕРКОВЬ ДВЕНАДЦАТИ АПОСТОЛОВ (МУЗЕЙ ПРИКЛАДНОГО ИСКУССТВА И БЫТА XVII ВЕКА)

THE PATRIARCH'S PALACE AND THE CHURCH OF THE TWELVE APOSTLES (MUSEUM OF 17TH-CENTURY MORES AND APPLIED ARTS)

Интерьер Крестовой палаты
Патриаршего дворца

*Krestovaya or Council Chamber in
the Patriarch's Palace*

Жилая комната (реконструкция)

Reconstructed living room

Крестовая палата

Krestovaya Chamber

Поставец с посудой XVII века

Etagère with 17th-century tableware

Курильница. XVII век. Серебро

Silver incense burner. 17th century

Медная посуда XVII века

Copper plate. 17th century

Ларец. XVII век

Casket. 17th century

Кувшин и солонка. Серебро. XVII век

Silver jug and saltcellar. 17th century

Книга „Лекарство душевное“.
XVII век

Treatment for the Soul, *a 17th-
century foliant*

Потешный кубок-сова. Серебро.
XVII век

*Silver goblet in the form of an owl.
17th century*

Карманные часы. Золото, серебро,
эмаль. XVII век

*Enamelled gold and silver pocket
watches. 17th century*

Иконостас церкви Двенадцати апостолов.
1721 год. Резьба по дереву, позолота

*Gilded carved wooden iconostasis of the Church of
the Twelve Apostles. 1721*

ГОСУДАРСТВЕННАЯ
ОРУЖЕЙНАЯ ПАЛАТА
THE STATE
ARMOURY

Мастер Никита Давыдов.
Парадный шлем. 1621 год

Parade helmet by Nikita Davydov.
1621

Боевой шлем. Италия. XVI век

*Battle helmet of Italian
workmanship. 16th century*

Боевые доспехи русских воинов
XVI–XVII веков

Russian armour. 16th–17th centuries

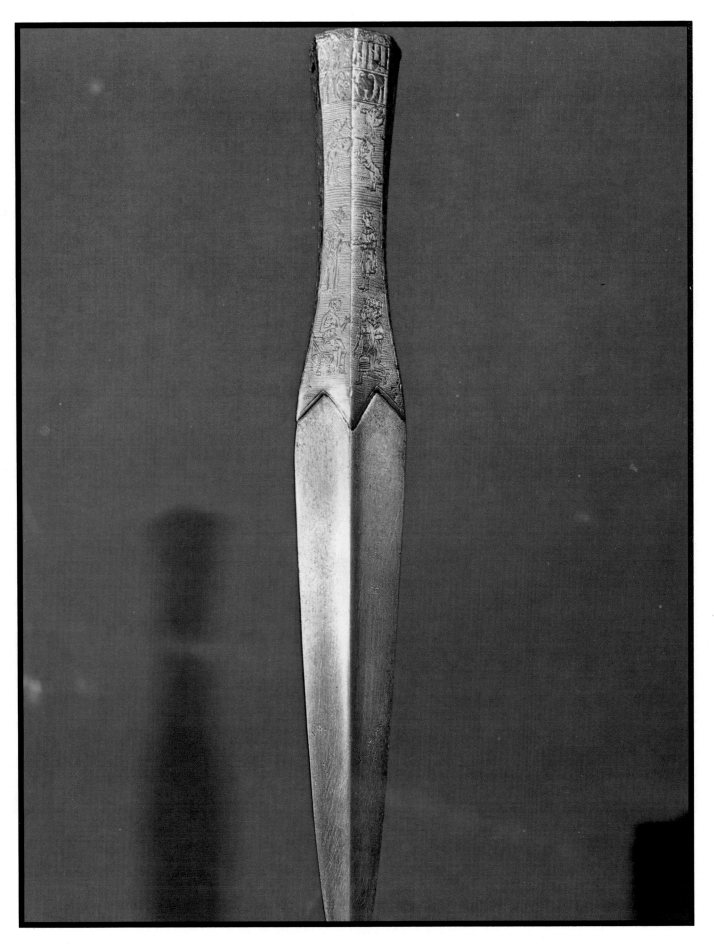

Рогатина (наконечник охотничьего
оружия). XV век

Hunting spearhead. 15th century

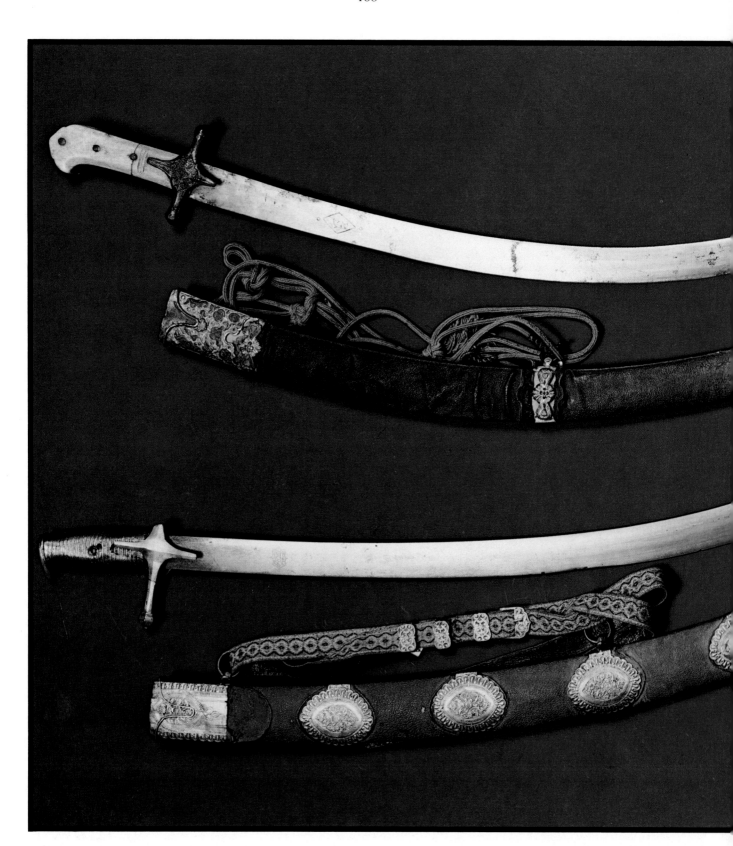

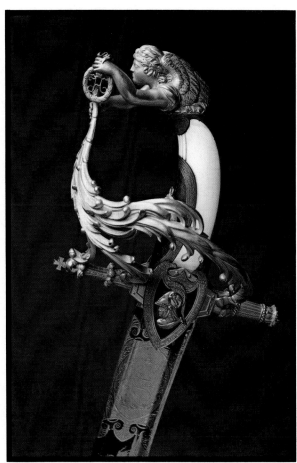

Мастер Иван Бушуев. Эфес сабли. 1829 год

Sabre handle by Ivan Bushuyev. 1829

Сабли Минина и Пожарского.
Конец XVII века

*Sabres worn by Minin and
Pozharsky. Late 17th century*

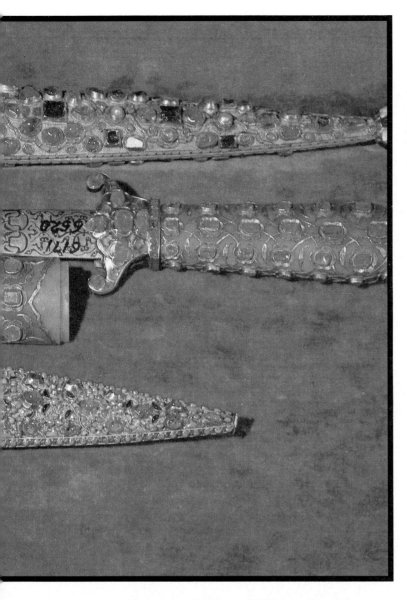

Кинжалы. Персия. XVII век. Серебро,
позолота, драгоценные камни, эмаль

Пернач и булава. Персия. XVII
век. Деталь

Persian daggers of enamelled and
gem-studded silver gilt. 17th century

Details of Persian battle-axe and
mace. 17th century

Охотничьи ружья XVII века.
Детали

Details of hunting guns. 17th century

Охотничье оружие. XVII век.
Деталь замка

Detail of fowling piece lock.
17th century

Шапка Мономаха. Конец XIII – начало
XIV веков. Золото, жемчуг, драгоценные камни

The Cap (Crown) of Monomachus. Gold, set with
pearls and gems. Late 13th or early 14th century

*Шапка Казанская. Середина XVI века.
Золото, жемчуг, драгоценные камни*

*The Crown of Kazan. Gold, set with
pearls and gems. Mid-16th century*

Большой наряд царя Михаила Романова.
Корона, скипетр и держава. 1627—1628 годы.
Золото, жемчуг, драгоценные камни

*Crown, sceptre and orb from the imperial regalia
of Tsar Mikhail Romanov. Gold, set with pearls
and gems. 1627—28*

Держава и скипетр царя Алексея
Романова. XVII век

*Orb and sceptre of Tsar Alexei
Romanov. 17th century*

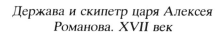

Корона императрицы Анны Иоанновны.
1730 год. Золото, бриллианты,
другие драгоценные камни

*Crown of Empress Anna Ioannovna. Gold, set
with diamonds and other gems. 1730*

Оклад Евангелия. 1571 год. Выполнен
мастерами Оружейной палаты
по распоряжению Ивана Грозного

*Gem-studded gold Gospel cover.
Made by the Armoury master goldsmiths
for Ivan the Terrible. 1571*

Икона „Святой Георгий". XV век.
Резьба по кости

The St. George *icon of carved ivory.*
15th century

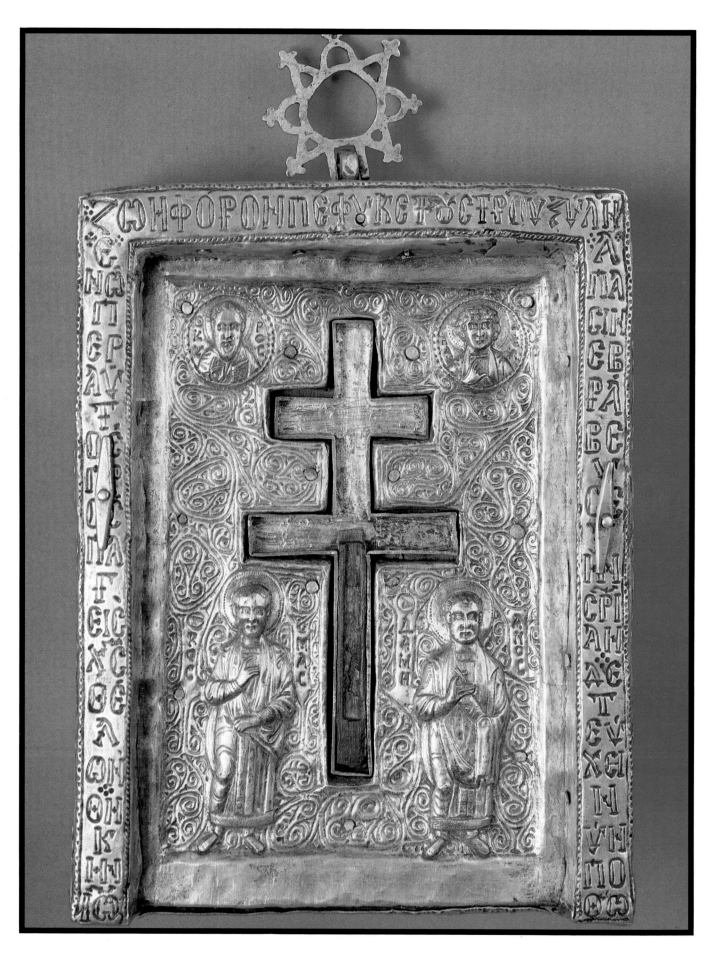

Ставротека. Византия. XII век.
Серебро

*Silver reliquary of Byzantine
workmanship. 12th century*

Симоновское Евангелие. 1499 год.
Серебро

The silver-covered Simon Gospel.
1499

202

Мастер Юрий Фробос и другие.
Оклад Евангелия. 1678 год.
Золото, драгоценные камни, эмаль

*Gem-studded and enamelled gold Gospel cover by
Yuri Frobos et al. 1678*

Мастер Юрий Фробос и другие. Оклад Евангелия.
1686 год. Золото, эмаль, драгоценные камни

Gem-studded and enamelled gold
Gospel cover by Yuri Frobos et al. 1686

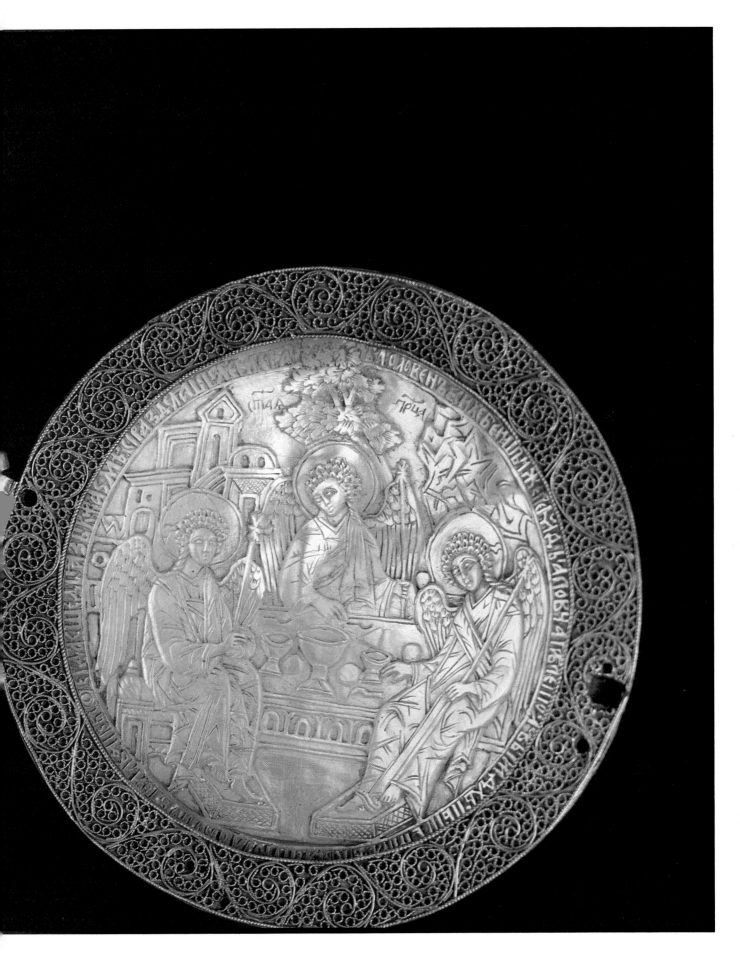

Панагия. XVI век. Золото,
перламутр

*Gold panagia inlaid with mother of
pearl. 16th century*

Кадило. 1598 год. Золото

Gold censer. 1598

*Панагия-камея. Византия. XII век. Золото,
драгоценные камни, жемчуг, эмаль*

*Cameo-panagia of Byzantine workmanship. Gold,
enamelled, set with gems and pearls. 12th century*

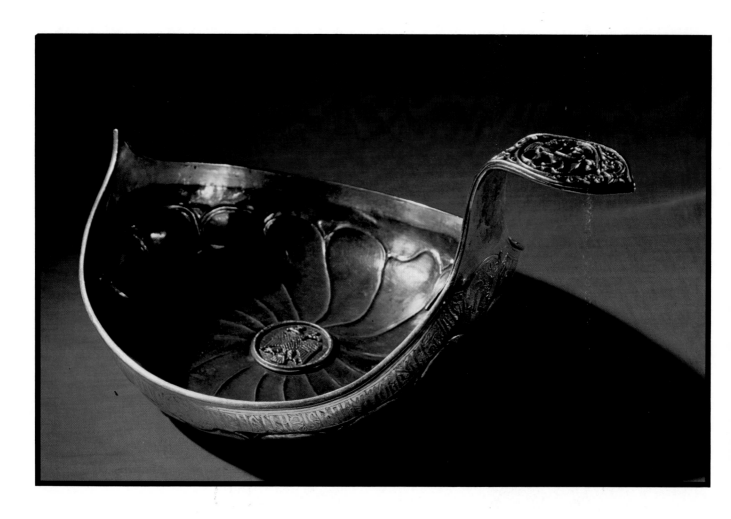

Ковш. 1535 год. Серебро

Silver kovsh *(dipper). 1535*

Ковш. 1618 год. Серебро, жемчуг, драгоценные камни

Kovsh (dipper). Silver, set with pearls and gems. 1618

Деталь ковша

Detail

Ендова. 1644 год. Серебро

Silver endova *(bowl). 1644*

Братина. Начало XVII века.
Серебро

Silver bratina *(loving cup). Early*
17th century

Блюдо. 1561 год. Золото. Подарок царя Ивана IV
Грозного царице Марии Темрюковне

*Gold dish. Presented by Ivan the Terrible
to Tsarina Maria Temryukovna. 1561*

Мастера Михаил Михайлов и Андрей Павлов.
Ставец. 1685 год. Серебро

*Lidded silver bowl by Mikhail
Mikhailov and Andrei Pavlov. 1685*

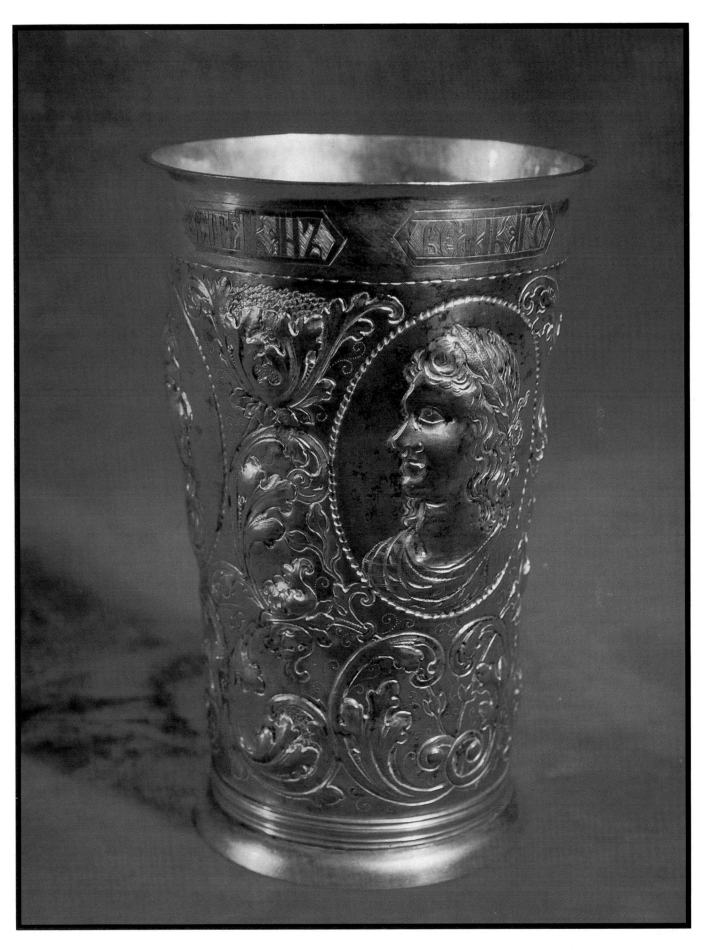

Стаканы. XVII век. Серебро

Silver beakers. 17th century

Братина. Начало XVII века.
Серебро

Silver bratina *(loving cup). Early*
17th century

Венец с иконы. Начало XV века.
Серебро, жемчуг, драгоценные камни

Silver icon nimbus mount, set with pearls and
gems. Early 15th century

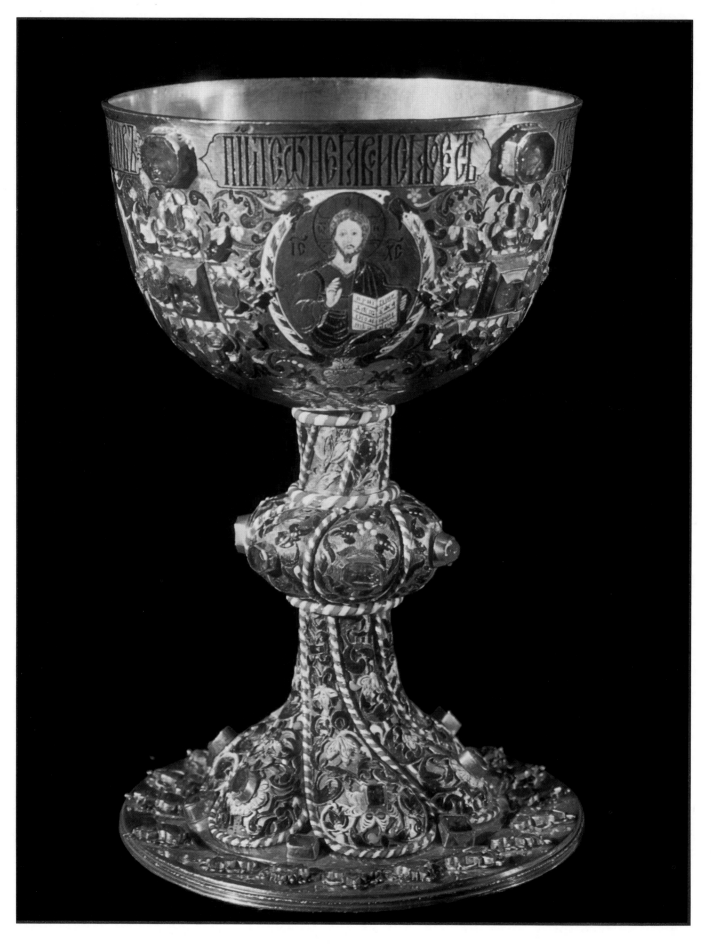

Потир. 1664 год. Золото,
драгоценные камни, эмаль

*Gem-studded and enamelled gold
chalice. 1664*

Потир. 1598 год. Серебро,
драгоценные камни

Gem-set silver chalice. 1598

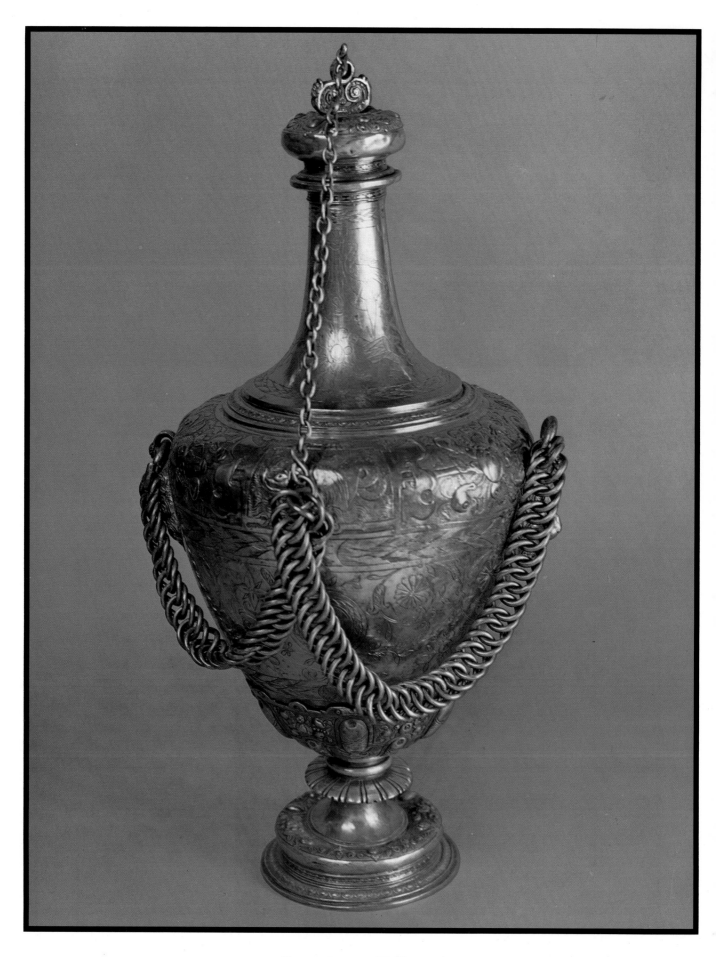

Сулея. Англия. XVII век

*Pilgrim bottle of English
workmanship. 17th century*

Стопа. Англия. XVII век

Tankard of English workmanship.
17th century

222

*Мастер Г. Кауфман. Рукомой-лебедь.
Стокгольм. 1674 год. Серебро*

Silver swan-shaped ewer. Made in
Stockholm by Kaufmann. 1674

*Кубок-петух. Германия. XV век. Принадлежал
великому князю Ивану III*

*Goblet of German workmanship in the form
of a rooster. Owned by Grand Prince Ivan III
of Muscovy. 15th century*

Мастер Ганс Ламбнехт. Кубок-дыня.
Германия. 1633 год. Серебро

*Silver goblet in the shape of a melon by German
silversmith Hans Lambnecht. 1633*

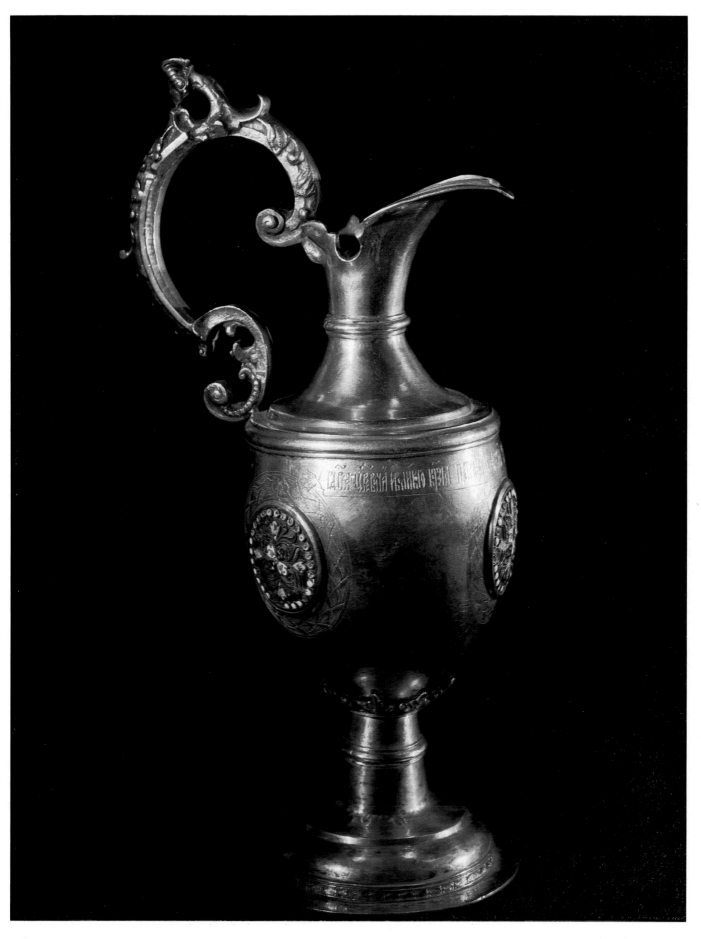

Мастер Федор Прокофьев. Рукомой. 1676 год.
Принадлежал царевичу Петру

*Silver ewer made by Fyodor Prokofyev for
Tsarevich Peter. 1676*

Мастер К. Мюллер. Потир. 1789 год.
Золото, бриллианты, эмаль

Diamond-set and enamelled gold
chalice by Müller. 1789

Глобус небесный (сосуд для вина).
Польша. Середина XVII века

Spherical wine vessel of Polish
workmanship. Mid-17th century

Митра патриарха. XVI век. Жемчуг,
драгоценные камни, серебро

*Patriarchal mitre. Ornamented with silver,
set with pearls and gems. 16th century*

Митра патриарха. XVII век. Жемчуг, драгоценные камни, серебро

Patriarchal mitre. Ornamented with silver, set with pearls and gems. 17th century

Саккос митрополита Алексия.
XIV век

Sakkos worn by Metropolitan Alexii.
14th century

Деталь саккоса

Detail of sakkos

Большой саккос митрополита
Фотия. XV век

Sakkos worn by Metropolitan Foty.
15th century

Деталь саккоса. Шитье золотыми
нитями и жемчугом

*Detail of sakkos. Embroidered with gold thread
and embellished with pearls*

Дорожная карета. Франция.
1765 год

Carriage of French workmanship.
1765

Мастер Ионов. Седло в золотой
оправе. XVII век. Деталь

Detail of the gold-mounted saddle by
Ionov. 17th century

Мастер Букендаль. Парадная
карета. 1769 год

State coach by Buckendale. 1769

Деталь убранства кареты

Detail of coach decoration

ХУДОЖЕСТВЕННЫЕ СОКРОВИЩА МОСКОВСКОГО КРЕМЛЯ

	Составители	Перевод с русского
	Вильям Иосифович Менделеев	Артура Шкаровского-Раффе
	Аида Сергеевна Насибова	
Фотоальбом	Автор съемки	Редакторы издания
	Вильям Иосифович Менделеев	П. Ф. Волков,
		А. И. Мусатов
Издание четвертое	Автор текста	Художественный редактор
	Аида Сергеевна Насибова	А. В. Курбачевский
	Художник	Редактор перевода
	Ненад Доган	Д. А. Ажгибкова
	Консультант по главе «Большой Кремлевский дворец»	Технический редактор
	Валентин Семенович Винокуров	О. А. Денисова

Корректор
Н. И. Коршунова

77+7С1(069)
Х 98

Сдано в набор и подписано в печать 04.11.91. Изд № 3/020-9677. Формат
70×90/8. Бумага мелованная. Гарнитура таймс. Печать офсет. Усл. печ. л.
37.44. Усл. кр.-отт. 147,61. Уч.-изд. л. 34,895. Тираж 40 000 экз. Заказ № 3265.

Издательство «Планета». 103031, Москва, ул. Петровка, 8/11
Диапозитивы изготовлены в типографии «Людска Правица»,
Любляна, Югославия
МПО «Первая Образцовая типография». 113054, Валовая ул., 28

$$Х\frac{4911010000-001}{027(01)-92}\text{без объявл.}$$

ISBN 5-85250-398-3

THE ART TREASURES
OF THE MOSCOW KREMLIN

INTRODUCTION

Amidst the host of memorable places with which the history and culture of various nations are associated, the Moscow Kremlin occupies a special place; its 28 hectares preserve the memory of Russia's eventful history from the first Slav townships of the 11th–12th centuries.

This was the starting point of the principality of Muscovy, of the struggle to throw off the yoke of the Golden Horde, of the effort to crystallize a national awareness and consolidate the united independent state of Russia.

It chronicles the events of nine centuries, with each epoch concretized in monuments of material and intellectual culture of great historical and artistic worth. Today the architecture, paintings, manuscripts and scores of thousands of diverse objets d'art, the handiwork of the nation's genius, comprise the pride of the state museums of the Moscow Kremlin.

This treasury integrates several depositories of a highly different nature. Four are churches, notably the Cathedral of the Dormition or Assumption, the Cathedral of the Annunciation, the Cathedral of the Archangel Michael and the Church of the Deposition of the Holy Robe. The fifth is the Museum of 17th-century Mores and Applied Arts, which is housed in the former Patriarch's Palace. Finally, the sixth, a most impressive depository, is in the Armoury, built specially in the 19th century to display objets d'art accumulated in the Kremlin over its history. The churches, by virtue of their architecture, frescoes and icons, are themselves unique museums of early Russian art.

The Great Kremlin Palace with all its intergrated earlier structures, is not a museum. Yet — as for that matter nearly all the other buildings in the Kremlin including the walls and towers — it is likewise of historical and artistic value.

The Moscow Kremlin has been the heart of Russia's political, intellectual and cultural life since her very beginnings and remains so to this day.

In March 1918, but a few months after the October 1917 Revolution, Lenin and the Soviet government moved from Petrograd to Moscow, which now became the capital of Soviet Russia.

Historians have accepted the year of A. D. 1147 as the start of Moscow's history, for it is mentioned in the chronicles as the year in which two allies, Prince Yuri Dolgoruky (the Long-Armed), and Prince Svyatoslav Olgovich met on the tall bluff of Borovitsky (from *bor*, the Russian for grove) Hill. Dolgoruky, son of the powerful Kievan ruler Vladimir Monomachus, and himself Prince of Rostov Veliky (the Great) and Suzdal, took a fancy to this green-clad promontory at the confluence of the Moskva and Neglinnaya rivers; in the heart of Russia and at crossroads, it offered significant strategic and commercial advantage.

In 1156, several years after the chronicled meeting Dolgoruky "founded the town of Moscow at the mouth of the Neglinnaya at a spot above the Yauza River", as the scribe recorded.

However, archaeological digs in the Kremlin have disclosed that Borovitsky Hill was inhabited back in the 11th century by Slav tribes who engaged in the throwing of pottery, blacksmithing, cobbling and the making of jewelry. The artifacts found, such as weapons, glassware, glazed polychrome ceramics and fragments of silk–that are now in the Kremlin museum collection of archaeological discoveries–indicate that medieval Moscow carried on a brisk trade with the countries of Occident and Orient, let alone the other Russian principalities.

For Russia the 13th and 14th centuries were a dark time of domination by the Golden Horde. After each devastating enemy incursion the Kremlin citadel was built up anew. Excavations in the Kremlin have unearthed the ruins of late 13th-century stone structures.

Today all relics dating back to the 12th–13th centuries are jealously amassed and preserved, as the few extant artifacts of that sombre chapter in Russia's history are of special value, as, for instance, the icon of St. George, that glorious and splendid warrior-saint incarnating the popular ideal of the country's defender and liberator.

As time rolled by, the diplomatic and military successes of Moscow's rulers increased the city's authority and prestige. In the early 13th century it became the seat of the princedom of Muscovy, which was then only a small principality.

The 14th century was a most eventful period for the city. Thus, when Pyotr, Metropolitan of Russia, moved his seat from Vladimir to the Kremlin in 1325, Moscow became Russia's spiritual centre. Its Prince Ivan Kalita (the Moneybags) secured for himself the title of Grand Prince of Vladimir and was acknowledged as head of the feudal federation of central Russian principalities. He caused extensive construction to be undertaken in the Moscow Kremlin. Erected on its grounds were not only a wooden Golden-Roofed Terem residence for the grand prince but also monasteries, churches and houses for the nobility. The Kremlin was actually a city that centred on an open place which was ringed by cathedrals built of stone. Though small and of a simple ground-plan these classical edifices keynoted by salient features of the Russian national architectural style, served as prototypes for the buildings up in the 15th century.

Frequent enemy raids and incursions compelled Moscow's princes to fortify Borovitsky Hill. Thus, in the first half of the 14th century thrown up around the Kremlin citadel were oak-log ramparts which followed the course of the Neglinnaya and Moskva rivers. On the eastern side, where now Red Square spreads, the town was protected by a broad moat.

The first stone walls were erected coincident with the time of the Russian people's vigorous struggle for independence under Dmitry Donskoi in the second half of the 14th century. Comprised of large blocks of white-stone masonry, they were fortified by tall projecting gate-towers and round corner towers.

In the 15th century, as Muscovy's political influence increased, the city grew. In the reign of Ivan III brick walls and towers of a highly sophisticated order were built by specially invited skilled Italian architects and masons. It was during this period that the Kremlin assumed its present shape.

The amount of construction done in the ultimate quarter of the 15th century, a chapter of special import in Russia's history as it signified the culmination of the effort to create one united state and nation, was the greatest in the Kremlin's entire history, distinctly reflecting the integrative trends of all of contemporary Russian history and culture.

As residence of Ivan III, the Grand Prince of all Russia, the Moscow Kremlin became the outpost of a young, but strong state which, having cast off an alien yoke, now stood forth as Western Europe's mighty neighbour.

The Palace of Facets, the Terem Palace, the Bell-Tower of Ivan the Great and the belfry comprised, along with the earlier mentioned four churches, an integrally conceived, unique architectural ensemble, involved in whose construction along with architects from Italy, then the world's artistically most advanced country, were master-craftsmen from many Russian cities, such as Pskov, Novgorod, Rostov Veliky, Tver (now Kalinin), Vladimir, and Suzdal.

Note that Russia's arts and crafts had already possessed by that time a rich arsenal of tradition, her master-craftsmen deriving from earlier architecture, icons, and also legends, ballads and chronicles that sense of proportion and tact, that understanding of outline and that expressiveness of form which comprises the magnificence of the Kremlin's ancient structures.

Indeed, by working in collaboration with native folk craftsmen the Italian architects and builders achieved an awareness of the salient features of Russia's national artistic tradition. The edifices they erected organically blended with Russia's art.

THE GREAT KREMLIN PALACE

The Great Kremlin Palace is not a museum though there are many fascinating things of interest there. It is the venue of sessions and official meetings of great international significance. It is likewise the venue of government receptions and audiences.

The building itself was put up between 1838 and 1849 in place of a previous group of palace structures by a team of Moscow architects working under Konstantin Thon. However, it has incorporated earlier 15th–17th-century structures such as the Terem Palace with royal chapels, the Tsarina's Golden Chamber and the Palace of Facets.

The Palace of Facets which fronts onto Cathedral Square is one of the oldest of the Kremlin structures.

It was erected in 1487–91 by two Italian architects Marco and Pietro Antonio Solari. Its name derives from the facing on the main eastern side which is of white slabs of masonry each cut with four facets. The cube of this building is of restrained simplicity and noble, imposing proportions. On its first floor is a well--lit ceremonial hall with a floor space of 495 sq.m which was exceedingly large for its time. In the middle it has the traditional rectangular pillar of Russian refectories, around which stood shelves groaning under all manner of costly plate.

It was in the luxurious surroundings of this palace that highlights of Russian history were celebrated, top-level conferences held, victories in the field glorified and sumptuous receptions given for foreign envoys and ambassadors.

Though the original 16th-century frescoes are no longer extant, their subject matter and compositional arrangement have been preserved, thanks to a detailed description recorded of them in the 17th century. The current murals were executed at the close of the 19th century by artists from the famed Palekh centre of lacquered miniatures.

It would not be devoid of interest to note that the frescoes were originally designed not only to delight the eye; their subject matter, borrowed from the *Bible,* from a popular Russian compendium of a general historical nature compiled from various sources and at various times, and from 15th–16th-century manuscripts and chronicles, was presented in the form of parables of a homiletic and edifying nature.

However, the basic idea, the ideology if we may term it that, of these paintings is highly consonant with the prevalent moods of the second half of the 16th century, when it was vital to motivate the theme of centralized authority. The entire range of ideas reflected was associated with Russia's social and political affairs of the period. The fundamental objective was to extol the Russian state and elevate the prestige of its rulers. No wonder, the emphasis was placed on subject matter capable of entrenching the continuity and legality of the power of the tsar.

The Tsarina's Golden Chamber was commissioned in the first half of the 16th century and magnificently embellished at the close of the century by Tsar Fyodor Ioannovich for his spouse Tsarina Irina. Admiring this building from Cathedral Square one will distinctly note that it rests on a tall, arcaded ground storey. The upper part is fenestrated with deeply recessed semicircular windows adorned with white-stone surrounds. Further up comes a mind-staggering display of fabulous beauty—eleven small gilded cupolas topped by open-worked crosses that are mounted on graceful blue-tiled drums. These are the domes of the Upper Cathedral of the Saviour and the Crucifixion Church that were built above the chamber in the 17th century.

Like the Palace of Facets these premises served as the hall of ceremonies for Russia's tsarinas. They were dubbed the Golden Chamber due to their lavishly gilded walls, which in the 17th century were decorated with frescoes executed by icon-painters from Novgorod and Pskov. They are undoubtedly the more exciting of the Kremlin's 16th-century murals. Their subject matter is directly associated with the purpose for which the Golden Chamber was designed. They relate of Russia's history, of the acceptance by Vladimir Monomachus of Kiev of the imperial regalia from Byzantium, of such illustrious Byzantine empresses as Helen, Irina and Theodora, of the legendary Georgian Queen Tamara, and of the Russian Princess Olga. They likewise furnish a curious portrait gallery of Russian princes, plus a plethora of interesting genre detail.

The frescoes of the Tsarina's Golden Chamber were restored to their original condition already in Soviet times when the layers of 17th–18th-century overpaint were removed. An inscription on the ceiling gives the year 1797 as the date of the latest "renovation", done to mark the coronation of Emperor Paul I.

Both premises mentioned, the Palace of Facets and the Tsarina's Golden Chamber, were part of the royal residence of the Terem Palace, a complex of brick, stone, and wooden houses of diverse purpose, possessing inner patios, open terraces, ground- and roof-level gardens, ponds and fountains, golden-domed chapels, inner balconies and gabled roofs. In short, highly intricate but functionally justified group of residences, each with its own courtyard and ancillary wooden structures for each member of the imperial family, but all interconnected at different levels by galleries, open landings, antechambers and covered stairs.

Construction of the Terem Palace was launched in the reign of Tsar Mikhail Fyodorovich, when in 1635–36 he commanded that there be built for his heirs what the chronicle termed "most fanciful apartments" that subsequently came to be called the Terem Palace. Erected upon the earlier built foundation of previous residences, the three upper storeys stretched from the Palace of Facets to the 14th-century Church of the Nativity of the Holy Virgin. The Terem Palace was put up by a team of Russian builders; the roofs were painted in different colours and covered with silver and gold. These three storeys were stepped in such a way as to make it seem as if each storey arose of the lower one, thus imparting the then characteristic tiered silhouette. This also enabled each floor to be circumvented by broad open esplanades.

From the functional aspect, the interior and floor plans also followed the traditional layout. The ground storey was intended for storage, pantries and other day-to-day needs. The first floor was occupied by workshops that catered to the tsar's court. The second consisted of offices and of a bathroom from which a spiral staircase led up to the third-floor bedchamber of the tsar, whose other rooms were approached by stairs and a porch embellished with gilt and painting. Today the Golden Porch subsequently incorporated within the Great Kremlin Palace is a most precious example of mid-17th-century architecture. The four third-storey rooms are virtually all of one size; each has three windows and sloping vaulted ceilings.

The fourth floor, the Golden-Roofed Terem, which is surrounded by an open terrace, was built specially in 1637 for the two tsareviches Alexei and Ivan. Contiguous to it on the western side is a round watch-tower from which one is afforded a magnificent view of the entire territory of the Kremlin.

There are six private chapels near the Terem Palace, notably, the Church of the Raising of Lazarus, the Church of St. Catherine, the Church of the Crucifixion, the Church of the Finding of the True Cross, the Church of the Nativity of the Holy Virgin, and the Upper Cathedral of the Saviour. The oldest is the 14th-century Church of the Raising of Lazarus whose imposing forms and expressive plasticity are extremely typical of the white-stone architecture of Ducal Muscovy.

To this day despite the many alterations the Terem Palace with its stepped architecture, varying heights and handsome porches and stairs is picturesque and fairytale-like, unquestionably characteristic of the past style of residential architecture.

Though erected in the 19th century the Great Kremlin Palace has a floor plan quite in accordance with the medieval principles of residential architecture. This is likewise to be observed in the stepped arrangement, the decor and the colourful asymmetry, which have all served to integrate this structure with the Kremlin's older buildings.

Thus, the Palace of Facets, the Tsarina's Golden Chamber and the Terem Palace with its private chapels occupy the northern section of the Great Kremlin Palace; the remainder encloses a quadrangle from western, southern and partly eastern sides.

The main façade of the palace faces south and overlooks the Moskva River. Its two-storeyed lower portion has three rows of windows; the rooms in the upper storey have two rows. Disposed around the perimeter of the second storey are halls consecrated to the Russian pre-revolutionary orders of St. Vladimir, St. George and St. Catherine. In 1934 the two halls dedicated to the orders of St. Alexander and St. Andrew were joined to make one vast meeting hall.

The decor of each hall is dominated by the motif of the order, to which it was originally dedicated; it has representations of the insignia while the upholstery echoes the colouring of the ribbons of the respective order.

The largest hall is that of St. George. It is 61 m long, 20.5 m wide and 17.5 m tall. The windows of this white chamber, roofed by a ceiling of cylindrical shape embellished with sumptuous moulding, open onto Cathedral Square. The spaces between the windows house marble plaques inscribed upon which are the names of distinguished regiments and knights of the Order of St. George. At either end of the hall are bas--reliefs of St. George on a horse slaying the dragon (sculptor Pyotr Klodt). The entire subject matter of the mouldings is dedicated to victories won in the field by Russian armies between the 15th and 19th centuries. Surmounting the Corinthian capitals of the 18 twisted columns and right beneath the ceiling are statues of Victories and Allegories of the kingdoms and principalities of Russia (sculptor Ivan Vitali). The furniture is upholstered with silk repeating the colours of the ribbon of the order. The parquetry of more than 20 variously tinted woods is reminiscent of a huge carpet. There are six huge gilt bronze chandeliers.

The living rooms on the ground floor comprise the private apartments of the tsar incorporating a drawing room, a dining room, a study, and a reception room separated by four connecting antechambers, all with specially-made furniture and objets d'art of bronze, cut-glass, porcelain and semi-precious stone. The style is eclectic with Antiquity hobnobbing with the Baroque and the Classical with the Rococo.

Noted artists, sculptors and architects contributed to the interior decoration of the Great Kremlin Palace, for which granite, marble, malachite, jasper, and white and gray sandstone were used. Structurally the building was of a most sophisticated order in that metal floorings and concrete were used, hollow zinc columns were installed, a suspension ceiling was provided for the hall of St. George and the traditional Russian stoves were replaced by a system of air-heating.

Though the Great Kremlin Palace architecturally integrates structures built at different times over four centuries, it is conspicuous for its pleasing continuity of tradition, expressive artistic interpretation and gifted implementation.

THE CATHEDRAL OF THE DORMITION

The Kremlin's paramount structure was the metropolitan's diocesan Cathedral of the Dormition, built by the Italian architect Aristotle Fioravanti in 1475–79. A skilful architect and civil engineer, when erecting this church he proceeded from exact calculations, a point the chronicles noted as a way of construction then unknown in Russia.

Architecturally the cathedral astounds by its blend of tradition and originality. Fioravanti was ordered to take for his model the ancient Cathedral of the Assumption in Vladimir, a typically Russian domed cruciform structure. To this end he travelled not only to Vladimir but also to other northern cities to familiarize himself with Russian architecture. However, the Renaissance architect he was, he breathed new content into the traditional Russian style, with the result that his new cathedral was for the first time acknowledged as the premier church of an integrated Russian state. This impressive cube of a rigid geometrical precision of proportions produces an overall impression of clarity and grandeur, one not jarred even by the slightly asymmetrical, eastward-thrust five cupolas crowning the entire composition.

The cathedral stands on an impressive plinth. Its walls are vertically articulated in even planes and are halved as it were by an arched and pillared frieze. Inscribed within the arches that are set evenly in the middle of each plane, are narrow slit-windows. The southern and northern portals which served as the ceremonial entrances from Cathedral Square are embellished with austerely designed semicircular arches. However, the murals on the outside walls are of a later 17th-century origin.

The inside sustains the impression of stately grandeur. The architect produced a most pleasing, hall--like chamber whose six round pillars support the high, light pendentives. The fact that the ceilings are all of the same height enables the visitor to take in at one glance the entire interior, well lit thanks to the broad sloping window jambs.

The interior walls were embellished with frescoes for the first time in 1481 by a team under the eminent artist Dionisy. However, only a few fragments have survived, as at present the greater part of the walls is covered with painting executed in the 17th century or later. The large dimensions of the frescoes well accord with the cathedral's ceremonial designation.

It should be noted that in Russia's churches and temples frescoes and murals always had definite meaning. In the Dormition Cathedral they are patriotic in that they extol the steadfast effort for the purity of the Orthodox faith, then seen as the heroic defence of the Fatherland, and historical in that they relate of the history of the cathedral as such.

The Dormition Cathedral has always been the gathering point of the finest early Russian painting. Some icons were specially commissioned for it, others came from other Russian cities and seats of Orthodoxy. Conspicuous among them are: the greatly revered icon of the Holy Virgin of Vladimir, a masterpiece of Byzantine art of the late 11th or early 12th century (now at the Tretyakov Gallery); the Novgorodian 12th--century icon of St. George; and the two mid-14th-century icons *The Saviour of the Fiery Eye* and *The Holy Trinity* which were specially painted for this cathedral.

Russian icons have always amazed by virtue of their marriage of an abstract concept to a highly charged emotional mood. They have nothing of the austere contemplation of the Byzantine image or the exaggerated expressiveness of the Gothic painting. On the contrary, the concentrated calm they radiate, along with the open clear-cut faces, slender flexuous silhouettes and glowing resonant colours engender a sense of harmony.

The cathedral's present iconostasis is of the mid-17th century. Its icons were painted by monk artists of the Trinity-Sergius Monastery outside Moscow, to replace the older screen.

The interior decor is distinguished for its specially pleasing appeal. Indeed, the numerous icons and frescoes glittered in the shafts of sunshine filtering through the tall windows and drums of the domes and must have imparted an extraordinary feeling of sumptuous magnificence and splendour enhanced by the sparkle of the precious gems studding their gold and silver covers, the gleam of the church plate, the sheen of the rich, gold-embroidered priestly vestments and the flickering lights of the host of candles. No wonder, as ceremonies of the first importance were conducted here: the coronation of tsars, marriages of members of the royal family and the election of the heads of the Russian Church, as well as divine services held either before military campaigns or in thanks for victories won in the field. Finally, interred here amidst great pomp were the metropolitans and patriarchs of Moscow.

Many of the luxurious clerical garments and church plate for which the sacristy of this cathedral was famous, will now be seen at the Armoury.

The cathedral was also celebrated in its day for its library for which beautifully illuminated manuscripts were specially commissioned by Moscow's potentates and patriarchs.

For 400 odd years now the cathedral has housed the celebrated Throne of Monomachus, the pew that Ivan the Terrible commissioned to be carved of limewood in 1551. The sides of this superbly executed masterpiece of anonymous workmanship illustrate the legend of how brought to Russia were the imperial crown known as the Cap of Monomachus and the valuable shoulder decoration (barmy) that the Byzantine Emperor sent Prince Vladimir of Kiev.

In the southwest corner is a bronze baldachin with an elegantly cast railing, executed in 1624 by one Dmitry Sverchkov "steward of the boiler guild". It was designated for the storage of church relics.

The Dormition Cathedral retained its significance as the country's premier shrine right up to the October 1917 Revolution after which, along with the other Kremlin cathedrals, it was converted into a museum.

Much restoration and archaeological work has been carried on since 1917, more specifically to reproduce the cathedral, as it originally was, prior to the alterations introduced over the six centuries of its history.

THE CATHEDRAL OF THE ANNUNCIATION

The Cathedral of the Annunciation, which served as the private chapel of the grand prince, was built by Pskov master-craftsmen in 1484–89, originally as a three-domed building with galleries on three sides opening out onto Cathedral Square.

In the 16th century it was subjected to considerable alteration, with four small single-cupolated chapels, built onto the galleries to honour Ivan the Terrible's victory over Polotsk in 1563. Also added on the western side were two more "blind" cupolas (admitting no light into the cathedral), thus making a total of nine cupolas. Built on the southern side was a high porch embellished with a sumptuously carved white stone portal, and a window with a broad frieze above it.

This picturesque structure of varied dimensions along with its decor, arcading, and gilded domes blends styles characteristic of early Muscovite and Pskov architecture.

Indeed, though this edifice is greatly at variance to the austere and imposing Dormition Cathedral, its architecture is as expressively splendid.

The interior decor nicely fits its function: the private chapel of the royal family. However, the small cosy interior does not at all produce the impression of being cramped thanks to the stepped vaulting; the supporting arches appear light and graceful and the space under the dome tall and roomy.

The western section has a broad inner balcony where the tsarina and her daughters stood during divine service.

The decor is enhanced by a mosaic floor of rusty-brown flagstones of agate-like jasper imported from Rostov Veliky in the 16th century.

In 1508 frescoes were painted by a team of artists under Feodosy, son of the celebrated Dionisy. Exclusively thanks to the restoration work done by the Soviet experts have the original frescoes been rid of the many subsequent layers of overpaint.

The four tiers of frescoes are arranged in a manner characteristic of most early Russian churches. Centrally disposed is the Saviour in Majesty while below are the Angels, Patriarchs and Prophets and on the pendentives, the Evangelists. Depicted on the vaulting over the iconostasis and the altar are parables from the Gospel and the miracles of Christ.

Not without interest are the figures adorning the pillars; they represent various saints, Russian grand princes and Byzantine emperors, naturally portrayed in a rather conventional manner. Still, a gallery of such concretely historical portraits in the early 16th century on the walls of the royal chapel was of great political significance. The traditional arrangement incorporates motifs associated with the state and ideological objectives of the early 16th century. This energetically manifested aspiration to resolve issues of a political and social order was characteristic of this period of the flowering of medieval Russian culture.

The murals on the walls of the western and northern galleries were done in the 16th century. Rid of latter-day frequent layers of overpaint they fascinate by their representation of the poets and philosophers of antiquity, who appear to symbolize the pre-history of Christianity, holding as they do scrolls with quotations akin in spirit to Christian precepts. Among them we may spot Homer, however wearing Russian garb and crown, Virgil in flowing robes and broad brimmed hat, and Aristotle. The paintings on the southern gallery are already of the 19th century.

A true pearl of old Russian art is the iconostasis of the Annunciation Cathedral, the oldest of the surviving classical types of this multi-tiered structure. It adorned the church that was demolished to make way for the new cathedral. The chronicles give not only the date of its creation (1405), but also the names of the great masters who painted it: Theophanes the Greek, Andrei Rublev and Prokhor of Gorodets, all of whom were representative of the time of the highwater mark in Russian icon painting.

Early Russian painting is unique in the history of world art as being profoundly national and having its own imagery, artistic language of expression and colour scheme. To this day the images the early Russian painters limned astound by their inspired humanitarian essence and restrained majesty. Their icons are conspicuous for the unusually sensitive feeling of colour, the laconic presentation of the human figure, and the compositional rhythm which is always explicit and impressive.

The work of the Byzantine painter Theophanes the Greek is extremely individualized. The eleven saints that he painted for the iconostasis of the Annunciation Cathedral integrate into one common mood of solemn prayer to the centrally-positioned figure of the Saviour. Their faces radiate a quiet serenity; they appear completely removed from the vanities of the surrounding world.

Entirely different is the work of Andrei Rublev, possibly old Russia's greatest artist, humanitarian and philosopher, which reveals a harmonious balance of compositional arrangement, a radiantly festive colour scheme keynoted by gently flowing tonal values, and a soul-filled lyricism. His characters are profoundly meditative and seem enshrined in an aura of infinite saintliness.

Finally, Prokhor of Gorodets introduces a more dramatic and turbulent note, employing muted colour contrasts to convey highly charged episodes.

The iconostasis is the high note of the interior decoration which in earlier times was enhanced by the gleam of the silver and gold icon frames, the costly church plate and the sumptuous chandeliers.

THE CHURCH OF THE DEPOSITION OF THE HOLY ROBE

The small Church of the Deposition of the Holy Robe was erected in 1484–85, concurrently with the Cathedral of the Annunciation, next door to the Cathedral of the Dormition and also by Pskov master--builders. It served as the private chapel of the metropolitans and patriarchs, and like all Kremlin churches was put up in place of an older shrine of the same name. The chronicles for the year 1450 record that, "Iona the Metropolitan built chambers of stone and in them the Church of the Deposition of the Robe of the Holy Virgin."

The church holiday of the Deposition of the Holy Robe was once greatly venerated. The robe of the Virgin was brought from Palestine to Constantinople in the 5th century, where amidst great pomp, it was laid to rest in the Blachernae Cathedral. The day was soon adopted as a high holiday by the entire Orthodox Church, with the robe esteemed as a relic capable of defending the city from enemies.

In the mid-15th century, to mark the millennium of the afore-described event, the Russian metropolitan founded and dedicated his private chapel. However, it burnt down to the ground during a conflagration and the construction of the now existing edifice was started in 1484.

A typical example of early Muscovite architecture, this church is a domed cruciform shrine standing on four pillars that divide the rectangle of the inner floor into nine sections. The helmet-shaped dome itself rests on an octagonal base set atop the arcature. The drum is embellished with a decorative band that is repeated, with its raised terra-cotta ornamentation, midway along the walls, and above which there is a fenestration of slit-windows.

The main entrance on the southern side is a carved white-stone portal leading out onto an open landing in front of broad stairs. Contiguous to it on the northern side is a closed gallery, which up to the end of the 17th century led from the residential Terem apartments to the Dormition Cathedral. As houses as a rule then rested on a tall ground storey of stone, the church itself was raised to a similar height.

This small, soaring single-domed structure is conspicuous for its elegant proportions, handsome skyline and restrained decoration.

We do not know when its first frescoes were painted. The current frescoes were executed by Moscow painters in 1643 and are concerned with the then popular in Russia apocryphal tale of the Holy Virgin and the *Great Acathistus* authored by Byzantine hymnography of the 6th or early 7th century.

The frescoes were designed to extol supreme clerical authority and its alliance with the rulers of Muscovy, under the patronage of divine power, especially of the Holy Virgin to whom this church is dedicated. Its small dimensions set the tune for the composition of these frescoes. Their five tiers hug the northern, western and southern walls. In conjunction with the icons in the altar screen, the frescoes executed in light, well-blended tones and tints, create the impression of one integrated piece.

Involved in the creation of the iconostasis, which was executed in 1627, was one Nazary Istomin Savin, a top icon painter of the time who was celebrated for his skilful brushwork, calligraphic refinement and virtuoso drawing. The restrained colour scheme is dominated by light-pink, brownish-olive, cherry-red and velvet-green tints. The 17th-century trend placed a greater emphasis on an external appeal as a result of which, the earlier psychological probing is less in evidence.

Thanks to extensive restoration work conducted in Soviet times this church has been restored to its original form.

Carved wooden statuary is exhibited in the gallery. Unfortunately, there are but few surviving specimens, due to frequent fires and devastating enemy incursions. Also, since the Orthodox Church saw such statuary as deriving from pagan idolatry, it naturally could not make much headway before the onset of the 18th century. The few extant examples which so strikingly reveal the underivative features of Russian folk art are therefore all the more exciting.

THE CATHEDRAL OF THE ARCHANGEL

The Archangel Michael is the most recent of the four churches in Cathedral Square. It was built in 1505–08 by the Italian architect Alevisio Novi. Though preserved in the overall composition of this five-domed temple with its six supporting pillars and vertical wall articulation is the medieval Russian style of construction that other Italian master-builders devised, the exterior displays much that is characteristic of 15th-century Italian palatial architecture, notably the exuberant shells of the arcading, the lavishly ornamented portals, the Corinthian capitals, the rosettes, and the round and Venetian windows. All details, especially the portals are embellished with laurel garlands; generally the sumptuous decor of the exterior conforms to Venetian Renaissance architecture.

Built of red brick, the cathedral was not whitewashed at the outset. Naturally, in its combination with the white-stone decoration the red brick produced a most attractive appealing effect. On the eastern side are two small chapels, one of St. Uar, the other of St. John the Baptist. The open galleries on the northern and western sides no longer exist.

Several earlier churches stood on the site of the present edifice. In the 12th century a wooden church dedicated to the Archangel Michael stood on the tall bluff of Borovitsky Hill. It was subsequently (in the 14th century) replaced by one of white stone, the biggest of all the churches built in the Kremlin in those days. After the interment there in 1340 of Grand Prince Ivan Kalita, it became the dynastic necropolis, a function that was taken over by the cathedral built in 1508. Indeed, for some 350 years it served as the last resting place for the mortal remains of Russian princes and tsars. Beneath the white stones set in the floor and embellished with carved ornamentation and inscriptions in Slavonic there are a total of fifty-two burials. In 1913 these stones were encased in copper and glass and the names of the dead and the dates of death were inscribed on top.

Behind the iconostasis, in the chapel of St. John the Baptist one will see in its southern section in front of the altar the tombs of Ivan the Terrible and his two sons. The dread tsar had wished to be interred in the place of greatest honour. However, first buried there was his eldest son and heir whom he had killed in a fit of turbulent rage. Three years later his own remains were laid to rest there; his second son, Tsar Fyodor Ioannovich, was also interred there. In 1963 all three were exhumed for scientific purposes. The extant murals here echo the tsar's bitter struggles against political opponents.

The frescoes in the central nave which, executed in the 1560s, were repeated in the mid-17th century also have several specific features. Indeed, the choice and arrangement of the basic narratives that they tell are most intimately interwoven with the ideological creed of autocratic rule which Ivan the Terrible so unswervingly upheld. Thus, they incorporate highly controversial subject matter of meaningful social resonance serving to entrench the bedrock foundations of tsarist autocracy and the dogmas of Christianity.

A leading, dominant theme in early Russian art was that of the defence of the Fatherland. The battle scenes in the frescoes are imbued with the fervour of heroism and victory, thus redounding to the tsar's recent triumph over the remnants of the Golden Horde.

The exciting salient characteristic of the wall paintings in this necropolis consists of what we may term, a gallery of 60-odd conventional portraits of real-life historical personages. Presented in definite sequence, they personify an entire epoch of Russia's history. Each of the personages portrayed–Alexander Nevsky, Ivan Kalita, Dmitry Donskoi, or Ivan III–represents developments of vast historical significance: the struggle for liberation, the exaltation of Muscovy and the federation of Russian principalities, the destruction of the alien yoke and the foundation of the centralized Russian state. The gallery of funeral portraits on the walls comprise a solemn procession stepping, as it were, towards the altar. The princes and tsars are given full length and are in sumptuous brocaded garments studded with precious gems and trimmed with fur. They stretch out their hands in supplication as if praying for benediction. All the Muscovite princes are depicted with saintly haloes although not one, with the exception of Dmitry Donskoi, was ever beatified. This was with the special purpose of asserting the "God elected" nature of the dynasty. The portraits in the Cathedral of the Archangel Michael are not concretely individualized, nevertheless each has its own characteristic features manifested in the peculiar silhouette, in the turn of the head or body, or in the way the arms are raised.

Still extant is the four-tier 17th-century iconostasis which replaced the older one. The icons in the three upper tiers were painted in 1681 by a team of Muscovite artists working under Dorofei Yermolayev Zolotaryov. Canonical in subject matter, they are more realistic and more contemporary with the times. Owing to the chiaroscuro the figures are more dimensional and the composition reveals a knowledge of the laws of perspective.

The oldest and most conspicuous of the icons is that of the Archangel Michael with border scenes from his life. It was executed by a great, unfortunately anonymous master at the turn of the 14th and 15th centuries. According to the legend around it, Yefrosinya, widow of the famous Muscovite Prince Dmitry Donskoi–she subsequently entered a convent–is supposed to have commissioned this icon specially for the cathedral. We see a deeply emotional image of a warrior-hero ever prepared to fight for a sacred cause. And though in the six and a half centuries of its history the icon was heavily damaged, to this day this splendid example of early Russian painting amazes by virtue of the brilliance and resonance of its colouring, the profound feeling it radiates and the austere inspiration with which the visage is imbued.

Throughout the centuries the Cathedral of the Archangel Michael was the Kremlin's most venerated shrine. There, Moscow's princes and tsars went down on their knees to render homage to their forefathers, while on great days or in dark hours of danger they asked of them their symbolical blessing.

THE BELL-TOWER OF IVAN THE GREAT AND THE BELFRY

High point of the Kremlin's skyline today is the Bell-Tower of Ivan the Great, an imposing, golden--domed, three-tiered tower built concurrently with the Cathedral of the Archangel Michael in 1505–08 under the supervision of the architect Bon Fryazin. Though originally different and lower, even then, in the early 16th century, it climaxed the group of structures making up Cathedral Square. The name of Ivan was bestowed upon the bell-tower, because the ground-floor chapel is dedicated to St. John Climacus; the epithet of Great indicates the extraordinary–for those times–height. It is believed that the concept derived from the wooden guard towers of medieval Russia which were so tall. Indeed the bell-tower also served as a signal guard tower, from the top of which one could obtain a fine view of distant country.

The stairs inside the thick wall of the first tier, run into spiral stairs in the second tier winding up the central part of the tower and further on turn into spiral stairs of cast iron hugging the inside wall of the third tier and rising up to the top.

In its simplicity of design, scale, laconicism of detail and perfect proportions the Bell-Tower of Ivan the Great represents a pinnacle of world architecture.

Yet, as its bells could not chime well enough for all the Kremlin cathedrals, in 1532–43 the architect Petrok Maly erected alongside of it a huge belfry having broad spans adequate to house large bells. In times of yore the bells pealed during great holidays and in times of grief.

We have the following eyewitness account of how the bell ringers rang out the peals. "To cause the bells to peal, needed were 24 ringers if not more. They stood on the square below and holding cords attached to two long ropes suspended from either side of the bell-tower, pulled in this manner all together, now from one side, now from the other." The twenty-one bells of both structures comprise a veritable treasure trove of the art of casting. All are embellished with elegantly executed inscriptions, stamps and bas-reliefs. The biggest, the Resurrection Bell, weighing 4,000 poods (with one pood, an old Russian measure, equivalent to 16 kg, this would add up to 64 tons), and suspended from the middle of the belfry sounds a peal of beautiful timbre and fullness.

In 1600 Tsar Boris Godunov commanded that a superstructure be added to the bell-tower to make its total height 81 metres. For long it was the tallest building in Russia.

In 1624, a helm-roofed structure was superimposed on the belfry, to contain in its second and third storeys the patriarchal sacristy. Despite the different times in which they were built and modified both the bell-tower and the belfry have integrated into a highly colourful architectural ensemble.

Retreating from Moscow in 1812, Napoleon ordered that this historic building be blown up. Both the belfry and the patriarchal sacristy collapsed, but the bell-tower remained more or less intact, except for a slight crack at its base. It proved to be an extremely sturdy structure; no wonder, as the foundation is more than ten metres deep, while the walls in the first tier are some five metres thick. The ruined belfry was restored shortly after Moscow's liberation.

With the end of the construction of the Bell-Tower of Ivan the Great and the belfry, the re-conversion of the central portion of the Kremlin which had taken so many years to bring about, was now complete. The Kremlin's new appearance not only signified a milestone in the Muscovite style of architecture generally; it served as the prototype for all further construction in Russia over the 16th and 17th centuries.

Today in Ivanovskaya Square (thus named after the Bell-Tower of Ivan the Great) one's eye is attracted to two memorable specimens of the foundryman's art, notably the Tsar Cannon and the Tsar Bell, thus dubbed by virtue of their huge size.

By the 16th century the Moscow Kremlin had been a well-fortified structure capable of offering stalwart resistance to any enemy. This was a time of extensive gun-casting. One cannon made was the celebrated Tsar Cannon which despite its name but little resembles a piece of ordnance. The barrel has a total length of 535 cm, while the calibre is 890 mm. The total weight is 2,400 poods (about 40 tons). Both gun and carriage are embellished with decorative ornamental castwork depicting a galloping horseman, and inscriptions; one of the inscriptions says, "The said cannon was cast in the tsar's celebrated city of Moscow in the year of 7094 (1586). The cannon was made by gun-caster Ondrei Chokhov." Ondrei or rather Andrei Chokhov was foundryman to the court and in his time cast not only bells but a multitude of pieces of artillery conspicuous for their immense size, splendid workmanship and magnificent decoration. The four huge cannon balls at the foot of the Tsar Cannon each tip the scales at one ton, though they are hollow.

The Tsar Bell was cast in 1733–35 by master-craftsmen Ivan and Mikhail Motorin. It weighs 201,924 kg, is 614 cm tall and is 660 cm across at its lower lip. Second to none throughout the world, it has a history that is eventful and dramatic.

The huge cast bell was still in the foundry pit, standing on an iron grating beneath a wooden shed when on May 29, 1737 a fearful conflagration devastated Moscow, setting ablaze numerous buildings inside the Kremlin itself. The flaming timbers falling into the pit heated the metal. To save it from melting, water was splashed over it. As a result of the sharp drop in temperature, the metal fractured, and a piece weighing 11.5 tons broke off. The bell was left to lie like that in the pit for more than a hundred years, as any effort to lift it up and place it on a pedestal comprised too much of a problem. It remained for Montferrand, the celebrated architect and engineer who built the Cathedral of St. Isaac in St. Petersburg, to cope with this task. Ever since, this imposing, consummate masterpiece of the Russian foundryman's art has comprised one of the most memorable historical sights in the Kremlin grounds.

THE PATRIARCH'S PALACE AND THE CHURCH OF THE TWELVE APOSTLES

(Museum of 17th-Century Mores and Applied Arts)

The last structure to be put up in Cathedral Square was the Patriarch's Palace with its Church of the Twelve Apostles. According to the chronicle, as early as the first half of the 14th century, Prince Ivan Kalita endowed Metropolitan Pyotr with a site in the neighbourhood of his own palace whereon to build his chambers. This palace was inherited by the patriarchs after the Patriarchy was installed in Russia in 1589.

The present three-storey building was put up in 1653–55 for Patriarch Nikon. It comprises a multitude of rooms and cells interconnected by inner corridors, the characteristic floor plan of any early Russian residence. Traditionally, the ground floor was given over to offices, kitchen and heating furnaces, the first floor to the ceremonial apartments and chapel, and the second floor to the patriarch's personal quarters.

As both Church and Patriarch owned vast tracts of land and had full coffers, he had no need to stint funds. To satisfy his tastes for magnificence he commissioned the country's top architects and artists to work for him. Indeed, in elegance and appointment the Patriarch's Palace was perhaps only slightly inferior to the tsar's own residence. Thus, according to an eyewitness, "The building is amazingly wondrous and quite possibly has no equal in the tsar's court as master-craftsmen of this day and age, the most artful of all and brought in from all over, took three whole years to build it."

Most imposing of all is the Krestovaya (Cruciform) Chamber or Hall of Prayer or the Boyar Council Chamber, where receptions were likewise held. Its 280 sq.m floor was free of any central supporting pillar to bear its arched tent-like ceiling. The entire load was borne by the two-metre-thick walls along the perimeter–a daring innovation for Russian stone architecture of the mid-17th century. Describing the interior decoration of the Krestovaya Chamber, one foreign traveller wrote, "This immense chamber is astounding for its unusual dimensions, its length and its width. Particularly amazing is the spreading ceiling that has no pillars in the middle to hold it up. Along the perimeter there are steps, while the floor, embellished with wonderful multicoloured tiles, resembles a pool in which only water is lacking. The huge windows open onto the cathedral and set in them are windowpanes of marvellous coloured mica."

The Krestovaya Chamber of the head of the Russian Church was of similar significance as the tsar's Palace of Facets. There the patriarch received the tsar and envoys from foreign countries and there church hierarchs convened.

Towards the close of the 17th century the second floor was remodelled with the result that extant is but one room known as Peter's Room, as according to legend Peter the Great was fond of retiring to it whenever visiting Moscow.

The patriarch's private chapel, the Church of the Twelve Apostles that is contiguous to the palace on the eastern side, was also erected in the 17th century. It comes within that class of four-pillared five-domed churches characteristic of Russia.

The original iconostasis has not survived. The one the visitor now sees was taken from the neighbouring monastery. It was executed at the turn of the 17th and 18th centuries in the Moscow Baroque style and is of carved and gilded wood. The lace-like ornamental carving covering the entire affair ranks the iconostasis among the finest specimens of Russian woodwork.

Virtually all the icons in the church were painted in 1721. Though they still possess much that is conventional with the artists apparently still dominated by the old icon-painting canons, manifest are attempts to reflect the new trends of the time, as are to be observed in the chiaroscuro, the dimensional presentation of the figures of the saints, and the realistic landscapes having details taken from nature.

The Patriarch's Palace and the Church of the Twelve Apostles that stand on the northern side of Cathedral Square well integrate with the entire ensemble. Though both were built in the style prevalent in the 17th century they borrowed from the architecture of the older Kremlin churches, notably, the Cathedrals of the Dormition and the Archangel Michael, thereby once again demonstrating that keen sensitive feeling for an architectural ensemble that was so characteristic of Russia's master builders.

Unfortunately in the next two centuries the Patriarch's Palace was modified time and again and by the beginning of this present 20th century was in a sorry state of neglect. Restoration work was started shortly after the October 1917 Revolution. Today the palace, restored to its original state, houses a museum of 17th--century mores and applied arts. Partly reproducing the furnishings of the patriarchal residence, it enables the viewer not only to gain a notion of the way of life in that century, but also to appreciate the underivative character and splendour of Russian culture and art.

THE ARMOURY

The main collections of Russian decorative applied art that are in the possession of the museums of the Moscow Kremlin will be seen in the country's oldest depository, the Armoury, where gems of Russian and Oriental and Occidental art are exhibited. All the massive collections there of firearms, armour, cold steel, 12th–17th-century gold and silverware, Byzantine objets d'art, costly textiles, crown jewels, manuscripts, standards and gonfalons, badges and insignia of the military orders, timepieces and equestrian panoplies, are in toto or singly, associated in one way or another with diverse events and historical personages, which implies that apart from their artistic and intrinsic value they are of great worth as historical relics and memorabilia.

Today they relate of Russia's hoary past, of the Russian people's heroic striving for independence and of the rise of the then young centralized state. They also enable us not only to trace the history of Russian art and culture but likewise to comprehend its singular character and beauty.

Indeed, most of the exhibits in the Armoury are of Russian workmanship.

Arts and crafts centres have functioned on Borovitsky Hill from times immemorial. At these workshops craftsmen from all over Russia lent talent and ability to contrive ceremonial objects and domestic utensils for the courts of both the Grand Prince and the Metropolitan. As the years rolled by the various articles manufactured at these workshops–housed in the structures of brick and stone masonry–accumulated; the workshops thus simultaneously came to discharge the function of depositories.

By the 16th century the Kremlin had four workshops, namely, the Royal Treasury or Treasury Court, the Royal Stables or Horse Treasury, the Royal Wardrobe or Bed-Linen Chamber and the Armoury or the Palace of Arms, each with its own special designation and purpose. However, in 1727 following the establishment of St. Petersburg as Russia's new capital, many of the craftsmen moved to that city and the four workshops mentioned were integrated into one, the Armoury, after the biggest and more important of the four. This institution served as the source of the present museum.

In 1484–85 a special building for the Royal Treasury was built between the cathedrals of the Archangel Michael and the Annunciation to hold the grand prince's inordinately swollen coffers. This included not only valuables of Russian workmanship but also all the gold and silver treasures from abroad (ambassadorial gifts, or acquisitions). Thus, the chronicle relates that in 1572, in the effort to safeguard these treasures from the Crimean khan's impending incursion, Ivan the Terrible had them removed to Novgorod in two baggage trains totalling 450 sleighs.

Deposited with the treasury were not only the valuables and other objets d'art that were specially commissioned or acquired; also stored there were jewels and other costly ware for court use, for gifts, and for special state receptions and ceremonies.

The collection of gold and silver plate was especially impressive. The oldest national type of vessel, the dipper *(kovsh),* served as a drinking vessel for mead. It resembles a miniature boat and was hammered out of one single sheet of gold or silver; the terminals of its handles were embellished with a carved decoration or with pearls and gems. Russian goldsmiths excelled in imparting an amazingly wonderful elegance and decorative appeal to the *kovsh* despite its apparent simplicity of shape. It is interesting to note in this connection that for long the *kovsh* was traditionally one of Russia's most honoured distinctions.

Another common, typically national type of utensil, was the *bratina,* a loving cup of spherical form which as its name ("brat" is the Russian for "brother") suggests served for the drinking of toasts, in the process of which it was passed round the table "from brother to brother". The Treasury and subsequently the Armoury accumulated a massive collection of these loving cups which though extremely diverse in medium and technique, have preserved throughout the centuries the time-hallowed form. The silversmiths that made them had no peer in the fantasy and imagination with which they adorned these objects.

Though regrettably many treasures were lost during the turbulent chapters of Russia's history, nevertheless what is preserved today at the Armoury, on show or not, constitutes the world's biggest collection of 12th–17th-century Russian gold and silver plate and of West European silverwork.

In this connection it would not be devoid of interest to indicate the custom (current since the 15th century) of foreign ambassadors and envoys to present valuable gifts at court. Indeed, the absence of such was seen as a sign of contempt for both ruler and state. In return the ambassadors and envoys always received gifts often worth far more in value. Hence, the Armoury collection of artistically worked European silver in its way chronicles Muscovy's relationships with the West throughout the 15th–17th centuries. In the mid-16th century a special office was instituted, known as the Ambassadorial Department which, much in the manner of a foreign office, supervised political ties with foreign states and also maintained rigid control over the observance of the required ambassadorial formalities. One such ceremony consisted of the sumptuous banquets given in the huge hall of the Palace of Facets. On such occasions, ranged around its central massive pillar would be shelves plentifully stacked with costly plate; silver and parcel-gilt bowls, multicoloured *charkas* (winecups) of cornelian, jasper, and amber, beautifully-enamelled gem-studded dippers, embossed goblets, loving cups, and silver kegs for mead and other liquors. The more exotic ambassadorial presents would be set out on tables, for instance, a German timepiece in the form of an elephant, vessels in the shape of snow tigers and lions, incense burners, epergnes, amusing goblets. "We saw a multitude of grand gold vessels, impossible to imagine," the 16th-century Austrian Ambassador Konbenzel related. "There was so much plate that some thirty Viennese carts would have carried it with difficulty." Especially plentiful and diverse are the German silver articles from Nuremberg, Augsburg and Hamburg; in fact the collection of German silver amounts to more than a thousand objects.

The collection of English silver is not that broad-ranging but on the other hand, it is unique; even in England itself few such pieces will be found today, as so much was melted down there in the times of Cromwell (during the bourgeois revolution and civil war). It is also extremely valuable in that it enables art lover and historian to trace two centuries of silversmithing in that country.

In the 17th century Russia maintained well-established commercial and diplomatic ties with Holland, Denmark, Sweden and Poland, which naturally also supplemented the Treasury with much silver plate from these countries. Nor should one overlook the fact that in their long-standing traditional links with Russia such eastern powers as Turkey and Persia provided much of great value which has thus served to comprise a magnificent collection of objets d'art.

Taking pride of place in the Armoury collection are superb 10th–15th-century pieces of Byzantine workmanship which well demonstrate medieval Russia's political and cultural connections with this once mighty eastern empire. Russia's rulers boasted of these ties, regarding themselves as was noted earlier, as successors to the emperors of Byzantium, a postulate that also gave rise among other things to the legends surrounding the Cap of Monomachus with which nearly all Russian tsars up to Peter the Great were crowned. This cap supposedly donated to Prince Vladimir of Kiev by Byzantine Emperor Constantine Monomachus occupied a permanent niche in the Imperial Treasury; today this unique gem of 13th–14th-century Byzantine art is a coveted gem of the Armoury.

The gold crowns, sceptres, orbs, and other insignia of imperial majesty are conspicuous for their extraordinary splendour and magnificence. Thus, more than 800 diamonds stud the crown of Peter the Great alone. As the years passed, these pieces became family heirlooms that were jealously preserved and handed down from generation to generation.

Among the imperial thrones also preserved at the Treasury the costliest is the Diamond Throne which belonged to Alexei Mikhailovich, father of Peter the Great. It was commissioned from the Persian shah's court jewellers in 1659 and presented to the Russian tsar by a group of Armenian merchants who sought sundry privileges in trafficking with Russia.

In 1682 Russian silversmiths contrived the world's one and only double throne for Peter and his brother Ivan who, upon their father's death in their boyhood, were proclaimed co-rulers.

Established in the Kremlin in the early 16th century were the Royal Stables which not only stored the costly dress harnesses, but also had workshops for their making.

It must necessarily be noted that in the imperial ceremonies of the 16th and 17th centuries, crown possessions occupied a place of great significance, as the appearance in public of the tsar or, indeed of any distinguished personage, served to demonstrate exceptional status, power and wealth. Take the following eyewitness account of the state procession arranged for Boris Godunov in 1602. "The procession opened with 600 horsemen three abreast, followed by 25 stud horses in costly caparisons, led by as sumptuously clothed grooms. Next came an empty gilt coach. Finally the grand prince himself appeared on a coach drawn by white horses. His coach was upholstered in velvet and its top rested on four pillars embellished with silver spheres. A half hour later came the tsarina in a carriage of roomy splendour, drawn by ten white horses, in front of which 40 richly caparisoned stud horses were led by as richly dressed grooms. Tsarevna Ksenya followed in a closed coach drawn by eight handsome horses. The tsarina's escorts all rode white horses. Another 500 horsemen brought up the train."

In short in fullness and intrinsic artistic worth the collection of 16th–17th-century ceremonial horse trappings is unique. Note that the saddles, costly harness, exquisitely embroidered horse cloths and other trappings comprise but a fraction of the untold treasures once stored in the Royal Stables, many of which were brought from Persia, Turkey, China, Crimea and Bukhara. Not to say that horse caparisons of Russian workmanship were any the inferior. Indeed, Russian embossed, etched, nielloed or enamelled gold and silver items astound by their superb technique, diversified decoration and richness of imagination.

The oldest Russian-made saddle in the Armoury is of the mid-16th century; it bears the personal coat of arms of Ivan the Terrible embroidered in silver thread on cherry-coloured velvet. As a rule glittering gold and silver and sparkling gems were profusely used to embellish caparisons. Thus, in his account of the crowning of Fyodor Ioannovich the English Ambassador Jeremy Horsey assessed the caparison of the tsar's horse at some 300,000 pounds sterling.

One of the biggest rooms in the Armoury contains a fascinating exhibition of coaches and carriages of the late 16th–18th centuries of both Russian and foreign workmanship, each of which is a remarkable piece of applied art. The bodies of these vehicles are embellished with painting, gilt mouldings, carved woodwork and stamped leather.

Best represented are 18th-century vehicles which are more sophisticated than the earlier coaches and carriages, as they are springed and have turning wheel, windowpanes and seat for coachman.

More of the wealth owned by the rulers of Muscovy was deposited in what was known as the Royal Wardrobe. These included ambassadorial gifts and other valuable presents as well as items made by court jewellers for the tsar's pleasure. Towards the close of the 16th century it was reorganized into the Workshop Chamber where both made and stored were articles in daily use including sundry garments, bed linen and numerous deeply venerated icons. Thus Tsar Alexei Mikhailovich alone received 8,200 icons during his reign (1645–76). However, in the next 17th century these icons were deposited with the specially instituted Chamber of Icons.

The garments and clothes now preserved at the Armoury are of world significance. They were made of costly Russian cloth and of imported Persian, Turkish and Italian silks, brocades and velvets, and were embellished by Russian needlewomen with fur, gold and silver lace, braiding, gems and pearls. Embroidery and needlework generally were a favourite preoccupation with Russian women, who had long been famous for their handiwork; indeed there were special ateliers employing many gifted embroideresses.

Pearls, imported from Persia, India and, from the 15th century on, Russian river seed pearls were particularly extensively employed in embroidery. Garments adorned with intricate designs picked out in pearls appeared especially sumptuous and attractive. By means of a skilfully chosen assortment of bigger or smaller pearls, which were artfully combined with precious stones, Russian needlewomen achieved astounding effect.

The oldest garments, that are sewn of Byzantine fabrics, date to the 14th–15th centuries and as a rule were worn by well-known historical personages. Of special splendour is the sakkos that Patriarch Nikon wore on ceremonial occasions. It was made of heavy samite, a type of gold brocade embellished with a design of large flowers and crowns. The collar, sleeves, skirt and sides are beautifully embroidered with pearls and semi--precious stones.

The largest and oldest of all the workshops in the Kremlin was the Armoury, which is first mentioned in the chronicles in 1547. Here, firearms and cold steel as well as armour for Russian soldiers were manufactured by armourers from all over Russia and also by specially hired foreign artisans. This work served as model for all of Russia's armourers to emulate. Ceremonial weapons were embellished with carved ornamentation and gold and silver damascening and were incrusted with ivory and mother of pearl. This arsenal's highwater mark came in the mid-17th century during which period it supplied large quantities of arms and armour.

Special heed was given to the making of firearms. Thus, between 1647 and 1653 the Armoury gunmakers supplied Russian troops with 10,172 matchlocks and 21,292 flintlocks. Towards the middle of the 17th century more hunting guns and ceremonial weapons were made; they were richly decorated with typically Russian ornamentation, blending smooth flowing tendrils and scrolls with grotesque semi-figures and heraldic insignia.

However, after Russia's capital was moved to St. Petersburg in the early 18th century, the Armoury became merely a depository of art treasures and historical relics.

In the early 19th century several academics advised that the Armoury be made into a museum, with access however, only for a select elite. In 1851 the architect Konstantin Thon built a new large edifice by the Borovitsky Gates specially to house a display of Russia's national treasures accumulated over the centuries. This is the Armoury as we know it today.

After the October 1917 Revolution the Armoury was reorganized into a state museum and thrown open to the public at large. Its collections were supplemented with more art treasures from nationalized private collections, palaces, cathedrals, monasteries and the patriarchal sacristy.

Today the Armoury which employs numerous competent researchers besides guides to conduct daily excursions for thousands of Soviet and foreign visitors frequently loans items from its collections for exhibitions that are arranged in many countries all over the world, for instance, in Britain, the GDR, Holland, Denmark, Canada, Sweeden, France, Japan and the USA.

CONCLUSION

The Moscow Kremlin is today a name known to all throughout the world. Witness of many events in Russian history, it has retained its significance as the country's seat of government and culture.

Among the first decrees that Lenin signed, were several mandating the protection and restoration of the Kremlin's historical monuments.

Indeed, in the years of Soviet power virtually every part of the Kremlin including the walls and towers, has been thoughtfully restored and repaired. In 1935 stars composed of Urals-mined semi-precious stones were installed atop the Kremlin's five main — Saviour, St. Nicholas, Trinity, Borovits-kaya and Water — towers. In 1937 these stars were replaced by new ones up to 1.5 tons and 3 to 3.75 metres across, of three-layered ruby-red glass. The frames are of stainless steel and are gilded. Air forced through the hollow mounting prevents the glass from being overheated by the inner lamps of 3,750 to 5,000 W.

In Soviet times the collections of the Armoury have been greatly supplemented, with some, as for instance, of archaeological artifacts, or of 18th–19th-century silver built up virtually anew.

Hundreds of works of applied art have been carefully restored. Especially is this true of numerous masterpieces of early Russian painting, which, cleaned of latter-day layers of overpaint, have brought to light many astounding discoveries enriching notions of the work and worth of little known masters.

Finally, all the historical buildings flanking Cathedral Square as well as the Great Kremlin Palace, the Terem Palace and the Armoury have been restored. In this connection it must necessarily be noted that the approach to such restoration work has always been of a profoundly scientific nature.

Today the Kremlin is as handsome and majestic as in times of yore. Its skyline is unique, its domes glitter and the untold treasures of its depositories are of fabulous beauty. Yet, words fail to convey even a fraction of the impressions any visitor will obtain.

Indeed, as the great Russian poet Mikhail Lermontov wrote in the 19th century, "No, neither the Kremlin, nor its battlemented walls, nor its dark galleries, nor its sumptuous palaces lend themselves to description. One has to see them, only see them, to feel all that they impart to heart and mind…" So, come and see for yourself Moscow's Kremlin, time hallowed yet eternally young.